Une nouvelle ère

Sortir de la culture du chef

154, rue Marcadet 75018 Paris
01 42 57 82 08
Siret : 793 599 432
Code APE : 5811Z
TVA intrac : FR44793599432

Les Editions François Bourin ont comme objectif de faire bouger les lignes et de redonner toute sa place à l'auteur et aux idées audacieuses dans la société contemporaine.

Nées il y a plus d'une dizaine d'années, les Editions François Bourin font partie des belles réussites de l'édition française avec plus de 350 titres publiés, qui chacun dans son domaine a souvent remis en cause des dogmes établis. De nombreux titres et auteurs « maison » réalisent de beaux succès d'édition pouvant atteindre jusqu'à 200 000 exemplaires.

Nos livres s'inscrivent dans un plan éditorial charpenté répondant aux questions fondamentales des lecteurs.

Afin de correspondre aux différents types de lectrices et de lecteurs, les ouvrages des 5 collections des Editions François Bourin : Monde, Société, Economie, Littérature, et Regards croisés sont souvent publiés en « Twins », un ouvrage plus « savant » et un ouvrage plus accessible publiés au même moment sur un même thème.
Car il s'agit bien de redonner toute sa place au rôle du livre en permettant ce double éclairage.

Michel Hervé

Une nouvelle ère

Sortir de la culture du chef

Essai

Du même auteur :

De la pyramide aux réseaux : récits d'une expérience de démocratie participative, préface de Ségolène Royal, Éd. Autrement, 2007 (avec Alain D'Iribarne et Élisabeth Bourguinat)

Le Pouvoir au-delà du pouvoir : L'exigence de démocratie dans toute organisation, Bourin Éditeur, 2012 (avec Thibaud Brière).

Table des matières

II.
La force des principes démocratiques

III.
Réformer la société, se défaire de la monarchie

Introduction

En 1915, Albert Einstein présentait pour la première fois sa théorie de la relativité générale, qui allait révolutionner les axiomes de la mécanique newtonienne. Comme le résume très justement le physicien Fritjof Capra, « l'univers de Newton était construit à partir d'un ensemble d'entités de base possédant certaines propriétés fondamentales [...]. Dans la nouvelle vision du monde, l'univers est conçu comme un tissu dynamique d'éléments interconnectés. Aucune des propriétés d'une partie quelconque de ce tissu n'est fondamentale ; elles découlent toutes des propriétés des autres parties, et la cohérence générale de leurs interactions détermine la structure du tissu entier[1]. »

Hélas, depuis un siècle ce changement de paradigme est resté largement confiné aux murs des laboratoires de science physique. En économie et en politique, par exemple, nous continuons bien souvent d'appliquer la logique mécaniste newtonienne à un monde qui n'y correspond plus. Les dirigeants politiques, les chefs d'entreprise, nombre de scientifiques et plus encore de citoyens continuent ainsi de

1. CAPRA Fritjof, *Le Tao de la physique*, Paris : Tchou, 1979, p.291

privilégier les raisonnements binaires au détriment de l'*ambivalence*, et la centralisation au détriment de l'*acentralité*. Ce que je souhaite donc faire, c'est rien moins qu'« opérationnaliser » Einstein, afin de faire de la *relativité* un levier politique et existentiel. Il nous faut, plus que jamais, embrasser une vision *holistique* et *écologique*, et faire par-là retour à la vision magique et mystique des sociétés primitives. Ainsi reviendrons-nous à la sagesse de l'ère tribale sans pour autant abandonner les idées de progrès, d'innovation et de dépassement de l'existant.

Cela suppose que nous nous défaisions de la culture du chef et de la logique monarchique. Le terme « monarchie » vient du grec *mono*, « un », et *arké*, « commander ». La monarchie, c'est le gouvernement d'un seul sur une masse largement indifférenciée. C'est la concentration du pouvoir en un centre directeur.

Le pivot de la nouvelle ère que nous voyons éclore sous nos yeux depuis une vingtaine d'années, c'est la démocratie concertative. Le pouvoir ne peut plus être centralisé entre les mains d'un seul décisionnaire, qu'il soit un monarque royal élu de Dieu, un monarque républicain élu du peuple, un monarque capitaliste élu du capital, un monarque mutualiste élu des adhérents, ou même d'un monarque associatif élu des sociétaires. Le pouvoir doit émaner non plus de l'autorité arbitrale d'un chef unique, mais d'une équipe de pairs dans laquelle l'autorité des arguments fait consensus de manière collégiale.

Certes, bien des choses ont changé en un siècle et le modèle newtonien a perdu de son lustre. Un nouveau paradigme s'est notamment dessiné dans les années 60 et 70. La société hiérarchique a alors été remise en cause au profit de petites communautés libres et autogérées. Mais ces initiatives sont restées très marginales, et peu ont survécu jusqu'à nos jours faute de technologies appropriées. C'est ce souffle que nous devons retrouver aujourd'hui.

À travers l'histoire, les sociétés humaines ont eu à répondre aux mêmes enjeux. Elles ont dû survivre en se protégeant des diverses menaces qui pesaient sur elles, au premier rang desquelles la maladie, la famine, les clans rivaux et les catastrophes naturelles. À chaque époque, les réponses ont été différentes et ont différemment défini la manière dont les individus ont fait société et ont construit du commun. Depuis l'Antiquité jusqu'à nos jours, la plupart des communautés humaines se sont protégées en bâtissant des frontières, des murs, des fortifications et des organisations monarchiques.

Tout cela était parfaitement valable pour les siècles passés. Mais en ce début de XXIe siècle, nous devons apprendre à nous protéger autrement ; non pas en nous coupant des autres, mais en nous connectant les uns aux autres ; non pas en monopolisant les ressources, mais en partageant les savoirs ; non pas en recherchant le confort rassurant de l'homogénéité, mais en nous ouvrant à la différence et à l'altérité.

Ce n'est pas parce que nous sommes technologiquement très avancés que nous sommes devenus moins vulnérables à la maladie et à la mort. Nous faisons face, au contraire, au risque d'extinction de l'espèce humaine, tandis que les crises politiques, économiques, sociales et écologiques ne cessent de se multiplier et de secouer nos sociétés. Ces enjeux colossaux nous obligent, qu'on le veuille ou non, à construire une communauté planétaire où chacun pourra vivre en harmonie avec la nature, avec les autres et avec soi-même.

Nous voilà ainsi à un moment historique de basculement. Nous sortons de l'ère monarchique pour entrer dans une nouvelle ère, une ère concertative. Nous passons en effet d'une société de pères à une société de pairs, de la verticalité à l'horizontalité, de l'uniformité à la diversité, du repli au partage, de la protection à la précaution, du représentatif au participatif. En un mot, la *monarchie centralisatrice* fait place à la *démocratie concertative*.

Ces nouveaux principes sont déjà mis en pratique sur Internet, par les nouvelles générations mais aussi dans les rapports à la nature que dessine l'écologie. Ils devraient être en outre à la base de la refondation de nos institutions, qu'il s'agisse de la famille, de l'État, de l'école ou de l'entreprise.

Afin de faire basculer pleinement nos sociétés dans cette nouvelle ère, *quatre paradigmes* doivent durablement changer :

1) *De la partie vers le tout*. Il faut privilégier une vision synthétique plutôt qu'analytique et centralisatrice. Le tout doit être construit par agrégation des parties. L'addition des volontés et des stratégies particulières doit déterminer le mouvement et la direction de l'ensemble.

2) *L'ambivalence plutôt que la binarité*. Nous devons cesser de penser par couples contraires : nature/culture, garçon/fille, dominants/dominés, droite/gauche, conservateurs/révolutionnaires, passé/futur, intérieur/extérieur, etc. Comme le yin et le yang, ces pôles en apparence opposés ne peuvent en fait aller l'un sans l'autre, et bien souvent ils ne sont que le reflet l'un de l'autre. Prenons l'exemple d'une bactérie : suivant les personnes et les situations, elle peut être une alliée ou une menace, un vaccin ou un foyer d'infection. De même, la prise de risque est souvent un facteur d'innovation, mais l'excès de risque peut conduire à la catastrophe.

L'histoire et la réalité sont toujours doubles et complexes. La cohérence que nous cherchons dans les choses et dans les actes ne doit pas se construire par occultation des différences. Il nous faut ainsi passer d'une pensée binaire et absolue, qui raisonne en termes tranchés – « ou bien X ou bien Y » –, à une pensée de l'ambivalence et de la complexité qui tient ensemble toutes les facettes de la réalité – non pas X *ou* Y, mais X *et* Y. Si l'absolu crée de l'intransigeance et de l'affrontement, la relativité permet en revanche au consensus d'émerger.

3) *D'une causalité linéaire à une causalité boucle*. J'emprunte ici à la cybernétique son concept clé de rétroaction (ou

feedback), en vertu duquel l'effet d'une action rétroagit sur sa propre cause. Ce mécanisme est à l'œuvre par exemple dans les thermostats, qui ajustent le chauffage d'une pièce à la température qui y règne. Mais c'est surtout le principe régulateur de notre écosystème, qui voit tous les organismes interagir entre eux et s'ajuster les uns aux autres pour former un équilibre. Le principe de rétroaction est ainsi ce qui permet à un système de s'autoréguler en prenant en compte des informations extérieures.

4) *D'une logique prédictive à une logique effectuale.* Il faut enfin renoncer à la planification de tout et à la prédétermination d'objectifs. Fixer un but génère du stress, et le stress inhibe la créativité. Au contraire, il faut savoir sauter dans l'inconnu et faire place à l'aléatoire. Le chemin doit se faire en marchant.

Comment parvenir à mettre en pratique ces paradigmes ? Tout d'abord, en appelant chacun à devenir un entrepreneur, au sens métaphorique du terme. Il ne s'agit pas de demander à tout le monde de créer son entreprise, mais d'envisager sa vie comme sa propre création. L'entrepreneur, pour moi, c'est celui qui cumule l'énergie du col bleu, l'intelligence rationnelle et logique du col blanc, et l'esprit de finesse intuitive du col rouge. Autrement dit, l'entrepreneur est un col tricolore.

Ensuite, pour mettre en pratique ces paradigmes, nous devons réformer en profondeur les institutions existantes sur la base des principes de la *démocratie concertative*. Nous devons ainsi transformer :

- l'entreprise et le management
- l'école et l'éducation,
- l'État et l'action publique.

Ensuite, nous devons cultiver dès aujourd'hui les germes de la société future les plus prometteurs. Ces germes sont : la jeune génération, Internet et l'écologie. Ces avant-gardes de la nouvelle ère nous montrent, en acte, de nouvelles manières de construire et d'instituer du commun. Ainsi, comme nous le verrons, notre meilleure chance de changer positivement d'ère, ce n'est pas par le biais de l'État, même réformé en profondeur, mais au moyen d'Internet et de petites communautés territoriales respectueuses de leurs membres et de leur environnement.

Les progrès de la science et la vitalité de la jeunesse me rendent confiant. Je pense que nous avons les moyens d'affronter les enjeux considérables auxquels nous faisons face et qui sont tout à la fois économiques, politiques, sociaux, culturels et écologiques. Nous pouvons assurer la croissance *et* l'emploi, nous pouvons garantir la démocratie *et* la sécurité, nous pouvons promouvoir la liberté *et* l'égalité, et nous pouvons faire tout cela tout en préservant la planète. Ce n'est pas une mince affaire, mais il n'y a là rien d'impossible si nous conjuguons nos forces, notre créativité et nos diversités.

Ces défis peuvent sembler effrayants ou au contraire extraordinairement stimulants. Mes expériences à la tête d'une entreprise, de banquier, de maire, de député à l'Assemblée nationale puis au Parlement européen, de professeur à l'université, de président de l'agence nationale de la création d'entreprises (ANCE) et au sein de multiples cercles de réflexion m'ont prouvé que les gens font preuve d'une incroyable créativité – pour peu qu'on leur en laisse la possibilité. J'ai foi en l'avenir, même si je sais que la bataille est loin d'être gagnée. Ainsi, mon éternel optimisme ne m'empêchera pas, tout au long de ces pages, de faire preuve de réalisme, même si cela me conduit à dépeindre les aspects les plus inquiétants de la modernité. À cet égard, j'ai toujours aimé cette formule d'Antonio Gramsci, pour lequel il faut savoir « allier le pessimisme de l'intelligence à l'optimisme de la volonté ».

Afin de comprendre les enjeux auxquels nous faisons face et les ressources dont nous disposons, il me semble indispensable de commencer par un détour historique. Je me propose ainsi, dans la première partie de ce livre, de revenir douze mille ans en arrière et de brosser un portrait des sociétés primitives, dont certaines caractéristiques semblent de nouveau faire surface aujourd'hui et dont il peut être utile de réactiver certaines autres. Cette première partie éclairera également le passage des sociétés tribales aux sociétés monarchiques, la naissance de la science moderne, de la démocratie et de l'entreprise. Elle se conclura par un état des lieux de la situation dans laquelle nous nous trouvons aujourd'hui, à l'heure où s'ouvre la nouvelle ère.

La deuxième partie de l'ouvrage présentera la force des principes démocratiques que nous avons hérité du passé et sur lesquels nous devons bâtir l'avenir : *liberté*, *fraternité*, *égalité*.

Le principe pivot, c'est la fraternité. C'est elle qui permet de tenir ensemble la liberté et l'égalité. Comme dans le jeu, c'est la fraternité qui permet de construire la règle, sans laquelle il n'y a pas de jeu. Voilà pourquoi je parle d'intra-entrepreneurs plutôt que d'auto-entrepreneurs. Les individus ne doivent pas être des atomes déliés de toutes relations durables avec leurs semblables et affranchis de toutes règles. Ils doivent être au contraire liés en une communauté générale qui a pour forme l'entreprise, qu'elle soit ou non à but lucratif. Voilà aussi pourquoi je n'aime pas l'expression en vogue d'« entreprise libérée ». Je préfère parler d'« entreprises concertative ».

Ces trois principes de liberté, de fraternité et d'égalité, que je leste d'un quatrième, l'*acentralité*, indispensable selon moi si nous voulons pleinement tirer parti de l'ère qui s'ouvre aujourd'hui devant nous et y trouver l'harmonie.

Dans une troisième partie, je présenterai un programme de réforme de l'entreprise, de l'État et de l'éducation selon les principes de la démocratie concertative. Cette réforme générale devra nous permettre, comme je le montrerai enfin dans une quatrième partie, de soutenir l'épanouissement de la jeunesse, du numérique et de l'écologie. Il importe en effet de réformer l'existant tout en cultivant les germes les plus prometteurs de la nouvelle ère. La nouvelle génération constitue précisément le terreau d'une fraternité renouvelée ; Internet est le germe de l'adaptation innovante ; et l'écologie signe la remise en question de la propriété au profit de l'usage et le retour à l'égalité harmonieuse. La nouvelle ère voit fleurir les plus belles graines que l'on puisse imaginer. À nous de favoriser leur pleine floraison.

I.

ÈRE TRIBALE, ÈRE MONARCHIQUE, NOUVELLE ÈRE : RETOUR SUR 12 000 ANS D'HISTOIRE

1.
Sociétés tribales et force de la tradition

La société originelle (10 000 avant J.-C. - 3000 avant J.-C.)

« L'être humain est un vertébré, un mammifère, et un primate[1] », disait très justement l'anthropologue Elman Service, l'un des pionniers de l'analyse évolutionniste des phénomènes sociaux et culturels. Selon cette perspective, l'homme, comme tous les autres êtres vivants, est pressé par un impératif de survie. Ses comportements, mais aussi ses constructions matérielles et ses modes de communication les plus significatifs, sont fondamentalement influencés par des facteurs biologiques et physiologiques : il doit respirer, boire, manger, dormir, se reproduire et se protéger.

Seulement, l'homme ne satisfait pas ces besoins élémentaires de manière anarchique et désordonnée. Contrairement à ce que croyait Thomas Hobbes, les premières communautés humaines ne sont pas caractérisées par la lutte de tous contre tous. Ce sont bien plutôt des groupes très structurés et très ordonnés. Aucune société humaine, même la plus

---

1. SERVICE Elman R., *Primitive Social Organization: An Evolutionary Perspective*, New York: Random House, 1964 [1962], p.34

primitive en apparence, n'est le règne de la spontanéité, du caprice et des instincts.

La première manière de survivre, pour un homme, c'est de vivre groupé. La vie sociale constitue en effet un moyen de trouver facilement des partenaires sexuels, de se procurer davantage de nourriture et de se protéger contre les dangers de la vie sauvage.

Aussi étrange que cela paraisse, il n'y a pas mille façons pour les êtres humains de vivre ensemble. Au contraire, où que l'on regarde sur Terre et quelque époque que l'on considère, il y en a relativement peu. Parmi les principales que je vais aborder dans ce livre, il y a la famille, dont je viens de parler, la tribu, la société religieuse, l'État et l'entreprise. Chacune de ces manières de faire société détermine, comme nous le verrons, des manières de se reproduire, d'échanger, d'habiter et d'éduquer.

Avant de commencer ma peinture des sociétés primitives, je me permets de rappeler qu'il faut bien veiller à ne pas les homogénéiser. De fait, celles-ci « peuvent différer autant entre elles, que chacune d'elle diffère de la nôtre », comme mettait en garde Lévi-Strauss[1]. Ceci étant dit, nous pouvons tout de même repérer, à travers les âges et les continents, des caractéristiques communes aux différentes sociétés primitives.

Durant la première ère que je distingue en prenant les débuts de l'agriculture comme point de départ historique, les sociétés humaines sont essentiellement tribales. La tribu est un groupement de bandes qui occupent des territoires contigus, partagent de nombreux traits culturels similaires, ont des contacts fréquents et pacifiques et partagent des intérêts communs.

Certaines tribus sont agricoles et modestement urbanisées, mais la plupart restent des petites communautés de

1. LÉVI-STRAUSS Claude, *Entretiens avec Georges Charbonnier*, Paris : Presses pocket, 1989 [1961], p.39

chasseurs-cueilleurs plus ou moins nomades. Toutes sont dominées par des croyances religieuses. Il s'agit en ce sens de sociétés *hétéronomes*, en ce qu'elles reçoivent leur ordre social d'un dehors transcendant. Pour le dire plus simplement, ces communautés ne font généralement que perpétuer une tradition immuable, saison après saison, année après année, génération après génération, plutôt que d'innover, de se réformer et de se transformer sans cesse comme le font les sociétés modernes. Ces sociétés primitives s'inscrivent ainsi dans un temps circulaire et un espace relativement réduit. Cette clôture du temps et de l'espace favorise l'*harmonie* qui règne généralement au sein de ces sociétés tribales.

La tribu détermine le comportement de ses membres de manière très contraignante. Pour ces derniers, la différence entre un membre et un non-membre est primordiale. Le premier est un partenaire d'échange privilégié, un semblable, voire un frère, tandis que le second peut être vu comme un ennemi à peine humain ne méritant que le mépris ou la mort.

La *famille* est l'institution cardinale de ces sociétés. Elle y structure toutes les dimensions de la vie collective. D'une certaine manière, la tribu est une seule et grande famille, et l'ensemble des liens sociaux qui s'y tissent est charpenté par des rapports de parenté. Ainsi, la religion célèbre les aïeux, tandis que l'organisation sociale repose sur le lignage et que la production de nourriture se structure autour de l'enclos familial. La famille tribale est, pour le dire en ces termes anachroniques, tout à la fois une Église, un État et une entreprise. Les tribus sont en ce sens des sociétés patriarcales, c'est-à-dire des groupements dont les membres sont conscients d'être liés par le sang au sein d'un grand lignage. Le mariage y joue un rôle d'importance comme moyen de transmission de la propriété, du patrimoine et du rang.

Les sociétés tribales sont ainsi, au plus profondément d'elles-mêmes, des sociétés de *tradition*. Elles sont de part en part habitées par des mythes qui codifient les croyances, préservent la morale et rappellent les règles de conduite élémentaires. Le mythe n'est pas seulement une histoire qu'on raconte, comme le dira plus tard Fontenelle. C'est une réalité vécue et vivante. Les événements lointains qu'il relate continuent de faire sentir leurs effets dans le présent.

La tradition sacrée, la coutume et le mythe ne sont pas des croûtes extérieures exerçant leur action du dehors de la société primitive ; ils en pénètrent au contraire toutes les occupations et s'imposent avec force à toutes les conduites sociales. Ils constituent en ce sens le substrat culturel des peuples tribaux, définissant leur système d'obligations, de devoirs et de rites à accomplir. Dans ces sociétés, ainsi que le relève l'ethnologue Bronislaw Malinowski, « l'ordre est maintenu à cause de la contrainte qu'engendre automatiquement l'adhésion unanime à la coutume, aux règles et aux lois, et par l'effet des influences psychologiques analogues à celles qui, dans notre société, empêchent un homme du monde de commettre une chose "qui ne se fait pas".[1] » La coutume, telle que les mythes et les récits collectifs la racontent et la justifient, cimente l'ordre social, comme le font les normes morales dans nos sociétés.

Les sociétés tribales sont hautement stables et n'évoluent que lentement. Elles ignorent les révolutions et les coups d'État. L'ordre n'y est pas perpétuellement créé, dérangé et restauré ; il y est conservé. Ces sociétés se maintiennent dans leur être en rejetant hors d'elles-mêmes ce qui les fondent et ce qui peut en causer la perte, à savoir le *pouvoir*. Elles tiennent d'ordinaire pour suspect et illégitime tout ce qui est nouveau. Elles conjurent le mouvement et l'histoire au profit de l'immuable et du retour au même. Ce qui suppose une répétition des gestes et des jours, ainsi qu'un attachement viscéral à la coutume et aux rites.

---

1. MALINOWSKI Bronislaw, *Les Argonautes du Pacifique occidental*, trad. de l'anglais par A. et S. Devyver, Paris : Gallimard, 2007 [1922], p.219

Cela suppose aussi une inclusion étroite dans le monde naturel et un refus de le transformer. Le rapport tribal à la nature est en effet marqué par la modération et le respect. On traite la nature avec soin afin de la conserver généreuse. Dans cette perspective, la distinction entre *nature* et *culture*, si fondamentale pour la modernité occidentale, n'a aucun sens. Comme le note l'ethnologue Pierre Clastres, dans ces sociétés « il n'y a pas de nature : un désordre climatique, par exemple, est aussitôt traduit en termes culturels.[1] » Tout est ordonné, pris dans un système unifié de significations hérité de temps immémoriaux.

Et quand l'homme est en passe de perdre la maîtrise de son cosmos, la magie est là pour pallier ses insuffisances. La magie, en ce sens, n'est pas du tout une pratique irrationnelle, mais elle répond à des fonctions sociales très précises et tout à fait censées. Recevant son pouvoir par voie de tradition, le magicien officie pour le compte du groupe tout entier et il n'en est que l'émanation.

Dans ces sociétés primitives, la maladie et la guérison sont par exemple associées à des forces spirituelles et non à l'action des microbes. Cela peut surprendre, mais c'était également le cas en France avant Pasteur. Selon ce prisme, les humains sont intégrés dans le cosmos et la maladie représente une rupture d'équilibre au sein de ce cosmos. Même une simple entorse ou la morsure d'animal va ainsi être interprétée en rapport à l'univers tout entier. Les chamans, un peu comme nos meilleurs psychothérapeutes, ne s'intéressent donc pas seulement – et même pas d'abord – à l'individu, mais à son environnement naturel, social et culturel. Ils portent sur les événements une vision holistique et systémique.

Les sociétés tribales sont des sociétés du *fiat*, du « c'est ainsi ». La religion y imprègne tout, y explique tout, y

1. CLASTRES Pierre, *Recherches d'anthropologie politique*, Paris : Seuil, 1980, p.22

domine tout. Les croyances religieuses ne constituent pas des cultes auxquels chacun souscrit individuellement, mais un bain originel dans lequel tout le monde baigne par nécessité. La religion, selon cette perspective, n'est pas ce à quoi on adhère, mais ce que l'on reçoit. Les peuples primitifs se conçoivent ainsi comme soumis à une règle dont l'origine est en-dehors d'eux-mêmes.

Typiquement, comme l'écrit l'ethnologue Peter Lawrence, « l'intelligence humaine, prise pour elle-même, ne jouit pas d'un grand prestige dans la culture indigène, qui considère que les vraies sources du savoir se trouvent dans les mythes et dans les révélations que les divinités font par l'intermédiaire des rêves ou autres expériences analogues.[1] » L'homme tribal refuse ainsi, en quelque sorte, sa propre puissance, sa capacité à façonner son existence et sa société. Il se conçoit comme radicalement dépossédé au profit d'une puissance invisible sur laquelle il n'a aucune prise. Ses dieux sont lointains et inaccessibles. Il y a bien des intercesseurs et des interprètes, qui président aux médiations entre les hommes et leurs dieux. Mais ceux-ci ne sont pas des hommes de pouvoir. Ce sont bien plutôt des hommes de parole, qui sont là pour dire le groupe, et non pour l'ordonner. Le chaman, exemplairement, est d'ordinaire celui qui prend les coups, et non celui qui prend les décisions.

Politique, économie et technique primitives

Le groupe primitif prend forme autour d'une culture, d'une langue commune, d'un même droit coutumier, des mêmes techniques et des mêmes manières de s'organiser, sans être pour autant soumis à une autorité monarchique

1. LAWRENCE Peter, *Le Culte du cargo*, traduit par R. Dousset-Leenhardt, Paris : Fayard, 1974 [1964], p.291

investi du pouvoir d'administrer ses sujets. Le pouvoir du chef de tribu repose sur le consentement et l'arbitrage. Il ne s'agit en rien d'une domination autocratique.

Certes, la tribu organise les forces nécessaires au maintien de l'ordre, à sa défense et, éventuellement, à l'attaque d'une tribu rivale. Elle édicte des prescriptions négatives, des prohibitions et des tabous. Mais s'il existe en son sein des fonctions judiciaires et diverses autorités tribales jouant le rôle de tribunaux, il ne s'agit pas d'« autorités politiques » au sens où nous entendons aujourd'hui ce terme. Ces autorités tribales sont entièrement au service de la collectivité et ne peuvent en aucun cas imposer une décision contraire aux coutumes et à l'avis de la majorité.

Au niveau politique, ces sociétés ne sont pas comparables à des États. Tout au contraire, elles luttent même activement « contre l'État », contre la constitution en leur sein d'une autorité politique centralisée, comme Clastres l'a souligné avec force dans un ouvrage qui a fait date[1]. Parlant des indiens Guayaki qu'il a observés au Paraguay, il explique : « un chef n'est point pour eux un homme qui domine les autres, un homme qui donne des ordres et à qui l'on obéit[2] ». En Nouvelle-Guinée, note quant à lui le biologiste Jared Diamond, l'homme le plus influent du village, appelé le *big man*, ne dispose que d'un pouvoir très limité. Il est d'ailleurs souvent difficile pour un observateur extérieur de deviner qui il est[3]. Ainsi, le chef tribal ne concentre pas le pouvoir et ne représente pas les membres de la tribu, auxquels il est lié par des relations complexes de don et de contre-don. Il doit essentiellement faire montre de deux qualités : talent oratoire et générosité.

---

1. CLASTRES Pierre, *La Société contre l'État : recherches d'anthropologie politique*, Paris : Minuit, 1974
2. CLASTRES Pierre, *Chronique des indiens Guayaki*, Paris : Pocket, 2001 [1972], p.84
3. DIAMOND Jared M., *Guns, Germs, and Steel: The Fates of Human Societies*, New York, London: W. W. Norton, 1999 [1997], p.272

Ces communautés sont donc constitutionnellement *acentrées*. Sociétés sans souverain, elles ignorent la dichotomie entre gouvernants et gouvernés. Elles s'efforcent ainsi d'éviter que ne se produise un trop grand clivage entre leurs membres. La règle d'unanimité y prévaut et les notions de majorité et de minorité n'y ont aucun sens. Il s'agit de systèmes foncièrement égalitaires, sans classes ni rangs. Aucun membre de la tribu ne peut s'élever de beaucoup au-dessus de ses semblables, car tous les membres du groupe entretiennent entre eux des liens de dette et d'obligation.

Les sociétés primitives sont en effet des sociétés structurellement symétriques. Elles reposent sur des jeux de réciprocité et des échanges circulaires. De manière générale, les relations en leur sein sont marquées par la réciprocité, l'équilibre et une faible différenciation entre les personnes[1].

Ces sociétés connaissent souvent la propriété, mais cette catégorie n'est pas structurante de leur vivre ensemble. L'égalité vient au contraire du fait que l'usage y est préféré à la possession, et que les avoirs privés y sont de peu d'importance au regard de la grande quantité d'usages communs.

Des expériences de psychologie sociales, récemment menées par des chercheurs américains dans plusieurs dizaines de pays à travers le monde entier, et qui ont consisté à faire jouer des membres de tribus primitives à des jeux comme le dilemme du prisonnier, ont montré que les individus, de manière apparemment universelle, se soucient d'équité et de réciprocité. L'axiome voulant que les individus, par nature, cherchent avant tout à maximiser leurs intérêts s'est révélé absolument faux. Les participants à ces expériences, au contraire, ont été prêts à sacrifier une part de leurs gains matériels si l'un des partenaires de l'échange

1. MAUSS Marcel, « Essai sur le don », in *Sociologie et Anthropologie*, Paris : PUF, 1995, pp.143-279 ; Cf. aussi CAILLÉ Alain (Ed.), *Don, intérêt et désintéressement : Bourdieu, Mauss, Platon et quelques autres*, Paris : La Découverte ; MAUSS, 2005

était visiblement lésé ; ils ont récompensé collectivement les individus qui se comportaient généreusement ; et ils ont en revanche puni ceux qui se montraient égoïstes[1].

Il n'y a pas lieu de distinguer, au sein des sociétés primitives, entre une sphère sociale, une sphère politique et une sphère économique. La division du travail y est faible et le labeur y obéit à la tradition et aux coutumes bien davantage qu'à la recherche de l'efficacité technique. Une tâche est exécutée selon l'humeur du moment, selon les habitudes et selon la contrainte qu'exercent d'autres occupations. Elle est souvent ponctuée par des incantations. Travailler, ce n'est en ce sens ni rechercher le moindre effort, ni suivre un plan ou respecter une procédure prédéterminée.

Dans son dernier ouvrage, Jared Diamond cite le cas de familles d'agriculteurs traditionnels péruviens qui dispersent leurs champs en de multiples parcelles éloignées, quand bien même ce système est moins pratique, moins rentable en termes de quantité de récolte et plus énergivore que le système consistant à rassembler les champs en un même lieu. Pourquoi font-elles donc cela ? Tout simplement pour éviter qu'une variation des précipitations à un endroit donné ne provoque une famine. Le but de ces paysans péruviens n'est pas de produire le meilleur rendement moyen dans le temps mais d'éviter chaque année la disette. Le travail obéit ici à un impératif de sécurité et non à un principe de rendement[2].

Comme nous venons de le voir, les peuples tribaux refusent ou sont dans l'incapacité d'objectiver la nature. Ils ne la traitent pas comme un ensemble de ressources

---

1. HENRICH Joseph, BOYD Robert, BOWLES Samuel et al. (Ed), *Foundations of Human Sociality: Economic Experiments and Ethnographic Evidence from Fifteen Small-Scale Societies*, Oxford; New York: Oxford University Press, 2004
2. GOLAND Carol, "Field Scattering as Agricultural Risk Management: A Case Study from Cuyo, Department of Puno, Peru," *Mountain Research and Development*, Vol. 13, No. 4 (Nov., 1993), pp.317-338, cité in DIAMOND Jared, *Le Monde jusqu'àhier: Ceque nous apprennent les sociétéstraditionnelles*, traduit de l'américain par J.-F. Sené, Paris : Gallimard, 2013 [2012], p.350

pouvant être comptabilisées, comme un stock que l'on pourrait inventorier et auquel on pourrait appliquer les notions de coûts et de bénéfices. Loin d'être des objets pouvant être appréhendés d'une manière *technique*, les plantes et les animaux sont souvent dotés d'attributs humains.

Comme l'a montré notamment Philippe Descola, la plupart des peuples primitifs s'inscrivent explicitement dans un continuum vivant qui va des plantes aux étoiles en passant par les fleuves, les arbres et les animaux. Ils « ne se pensent pas comme des collectifs sociaux gérant leurs relations à un écosystème, mais comme de simples composantes d'un ensemble plus vaste au sein duquel aucune discrimination véritable n'est établie entre humains et non humains.[1] » Le rapport à la nature ne se caractérise donc pas par l'accumulation mais par la *frugalité*. Pour les peuples nomades en particulier, qui valorisent au plus haut point la liberté de mouvement, l'accumulation est une véritable aberration.

De la même manière que les sociétés tribales rejettent volontairement la constitution de pouvoirs étatiques, elles restent volontairement sous-productives. Dans ces sociétés, « la main d'œuvre est sous-employée, les moyens technologiques sont sous-développés, les ressources naturelles sous-exploitées », comme l'a fait remarquer l'anthropologue Marshall Sahlins[2]. L'élément ordonnateur de l'échange, au sein de ces sociétés, c'est le groupe tribal ou domestique. L'échange, loin d'obéir à des considérations d'enrichissement ou d'accumulation, est fortement soumis à des obligations morales et il est, en tant que tel, dûment réglementé.

---

1. DESCOLA Philippe, *Par-delà nature et culture*, Paris : Gallimard, 2005, p.37
2. SAHLINS Marshall, *Age de pierre, âge d'abondance : l'économie des sociétés primitives*, trad. de l'anglais par T. Jolas, Paris : Gallimard, 1976 [1972], p.82

2.
Sociétés monarchiques et rationalisme scientifique

La naissance de l'État (3000 avant J.-C. - XXe siècle)

J'ai choisi de fixer le début de la deuxième ère de l'histoire de l'humanité à 3000 avant J.-C. Les royaumes apparaissent en effet autour de -5500 dans le Croissant fertile et vers -1000 en Amérique centrale et dans les Andes. L'écriture apparaît en Mésopotamie à la fin du IVe millénaire av. J.-C., tandis que le premier code de loi, le Code d'Ur-Nammu, apparaît au XXIe siècle avant J.-C.

Beaucoup plus populeux que les tribus, les royaumes comptent entre plusieurs milliers et plusieurs dizaines de milliers de membres. Si, comme l'a bien vu le zoologiste et prix Nobel de physiologie Konrad Lorenz, « l'entassement des hommes augmente la propension au comportement agressif[1] », alors il devient nécessaire, à mesure que l'homme constitue de grandes communautés, d'élaborer de nouveaux et puissants mécanismes de pacification.

En raison de leur taille, les royaumes peuvent difficilement faire reposer l'ordre sur des relations personnelles. De

1. LORENZ Konrad, *L'Agression : une histoire naturelle du mal*, trad. de l'allemand par V. Fritsch, Paris : Flammarion, 1969 [1963], p.268

fait, la plupart des membres d'un royaume ne sont liés aux autres ni par le mariage, ni par le sang, ni par le nom. Les modes d'organisation fortement personnalisés qui prévalent dans les sociétés tribales doivent donc y faire place à une structure institutionnelle et politique d'un nouveau genre, davantage impersonnelle : l'État, qui trouve son incarnation suprême dans le souverain. L'un des moyens d'assurer l'unité et la paix au sein de ces ensembles lâches est en effet d'instituer un monarque exerçant le monopole de la violence légitime, pour reprendre l'expression de Max Weber.

Durant les cinquante siècles qui séparent l'apparition des royaumes de la fin du XXe siècle, on assiste au développement de la pensée rationnelle, de la logique et du principe de causalité, qui culminent avec les Lumières. Peu à peu l'État, la science et l'économie s'autonomisent vis-à-vis de la religion : Copernic, Galilée, Newton, Descartes du côté scientifique ; Machiavel, Hobbes, Bodin et Locke côté politique ; Adam Smith et Ricardo du côté économique, pour le dire de façon très schématique. L'emprise du divin recule et la science, l'État et l'économie deviennent les nouvelles matrices idéologiques des sociétés occidentales. L'univers aristotélicien s'effondre devant un cosmos géométrisé de part en part, qui s'effacera à son tour devant les théories einsteiniennes.

Même si l'État, au sens où nous entendons aujourd'hui ce terme, n'apparaît véritablement qu'au XVIe siècle en Europe, des formes similaires sont attestées dès le troisième millénaire avant J.-C. en Mésopotamie, puis en Chine. C'est d'ailleurs là, et non en Europe, qu'a été inventée la bureaucratie.

Dans les sociétés monarchiques, le contrôle social peut s'exercer *via* la religion et la magie, mais il tend progressivement à passer principalement par la morale et le droit, sacrés ou profanes, puis par la connaissance technique, la science et enfin les médias. Le droit reste néanmoins, aujourd'hui encore, l'instrument privilégié d'exercice du pouvoir de l'État. La science politique, depuis Athènes et Rome, est une science de la loi. Le droit romain traverse ainsi tout le Moyen Âge pour informer le droit des États européens à la Renaissance. Selon cet entendement, la loi est l'instrument privilégié du souverain et elle pourvoit au gouvernement sa légitimité fondamentale.

La plupart des États obéissent à un nombre réduit de modèles généraux d'organisation, qui s'articulent soit au principe de centralisation, soit à celui de décentralisation. Selon le premier modèle, les conquérants d'un territoire se dispersent à ses quatre coins, comme ce fut le cas de la plupart des États formés en Europe par conquête après la chute de l'Empire romain. Selon le second, ils se concentrent en un point particulier d'où ils règnent à distance. Ce fut le cas, en Asie, de la plupart des États formés par conquête. Dans les deux cas, un pouvoir monarchique est institué, qui est généralement installé dans la capitale du territoire conquis.

Dans un cas comme dans l'autre, la protection du territoire est une dimension fondamentale des sociétés monarchiques. À la différence de la tribu, dont le territoire peut être délimité mais où il n'est jamais complètement clos, l'État borne son territoire au moyen de frontières dont la surveillance et la protection deviennent des tâches primordiales.

En raison de leurs besoins financiers et des inégalités qu'ils créent inévitablement, les États ont dû imaginer des techniques de collecte de fonds et de maintien de l'ordre. La création de l'impôt s'est ainsi accompagnée de la constitution de corps de gens en armes plus ou moins permanents chargés de faire respecter l'ordre sur tout le territoire et d'en protéger les frontières.

Le fonctionnement des États a aussi généralement donné lieu à la constitution de bureaucraties comprenant des services d'information, de comptabilité et de perception des impôts. Alors que la plupart des États obéissaient à un principe dynastique, qui voyait le fils succéder au père, cette bureaucratie fait progressivement valoir un principe de mérite et de compétence, et elle sépare les personnes de leur fonction. À la différence de celle du *big man*, la position de chef devient une fonction sociale incarnée dans des rituels et un apparat.

Les sociétés monarchiques sont profondément inégalitaires et hiérarchisées. Elles reposent sur une dichotomie séparant une classe dirigeante (chefs, souverains, notables, aristocrates) et une classe dirigée (esclaves, serfs, prolétaires). Parce qu'il est basé sur des relations de pouvoir, l'État produit inévitablement une division et une opposition entre ceux qui commandent et ceux qui obéissent.

La centralisation monarchique produit de l'uniformité et de la massification. Le « peuple » et la « nation » deviennent des acteurs collectifs que l'État entreprend d'homogénéiser et d'unifier en leur imposant une loi unique, une langue unique, une éducation unique, un système métrique unique, une monnaie unique, etc. Car c'est une spécificité des sociétés à État, au regard des communautés primitives : elles assimilent la société et l'humain à des matériaux que l'on peut modifier.

Avec l'apparition des royaumes et des États, les sociétés humaines passent en effet de l'« hétéronomie » à l'« autonomie », pour reprendre les termes de Cornelius Castoriadis et de Marcel Gauchet. Plutôt que de se plier à un ordre hérité du fin fond des âges et de se reproduire éternellement à l'identique, ces sociétés entreprennent de se donner à elles-mêmes leurs lois, de modifier leur environnement en profondeur et de s'*auto-produire*. La ligne circulaire du temps est brisée : le temps devient linéaire. On peut parler à ce titre de *sociétés historiques* en ce qu'elles écrivent elles-mêmes leur histoire, principalement par le biais de l'État, du droit et de la science. Ce sont des sociétés qui se fondent elles-mêmes et s'organisent en vue d'atteindre leurs propres buts. Apparaissant autour de 1750, la notion de « progrès » va cristalliser cette idée de développement continu de la société le long d'un temps linéaire, comme nous le verrons un peu plus loin.

C'est sans doute l'apparition de l'écriture, en Mésopotamie, 3000 ans avant l'ère chrétienne, qui est à l'origine de ce bouleversement des manières d'appréhender le monde. Le temps de l'écrit n'étant pas celui de la lecture, l'écriture favorise également l'émergence du temps linéaire et de l'historicité. Avec l'écrit, les mythes oraux et les règles de vie peuvent être désormais consignés, et donc plus facilement discutés, débattus et critiqués. L'écrit ouvre ainsi la voie à l'apparition de la science. L'écrit permet également de créer un droit codifié s'appliquant de manière uniforme à tous les individus.

L'État permet également l'émergence du sujet politique. Hobbes le premier pense conjointement et l'État et l'individu de droit. Le droit pose en effet les individus égaux et institue entre eux un nouveau type de lien, de nature contractuelle. C'est ce contrat social, passé entre les citoyens d'un même État, qui va devenir la base de sa légitimité. Ainsi, entre le *Léviathan* de Hobbes, paru en 1651, et le *Contrat social* de Rousseau, édité en 1762, prend place la révolution du droit naturel, qui s'applique à déterminer quels devraient être les droits d'un individu du seul fait qu'il est un individu, et non en vertu de ses appartenances, de son histoire ou du lieu qui l'a vu naître. De ce droit naturel sortiront la Révolution française et les droits de l'homme. Et sera ainsi tranché le nœud qui continuait de lier l'État souverain à l'incarnation royale d'une part, et au droit divin de l'autre. Il reviendra à Rousseau de dissocier l'État du roi, et à Locke de le détacher de la sphère religieuse, avec la publication concomitante, en 1690, de son *Essai philosophique concernant l'entendement humain* et de ses deux *Traités du gouvernement civil*.

En lieu et place de la légitimité héréditaire ou divine, on voit s'affirmer une légitimité proprement *politique* conférée par le suffrage universel. À l'État-nation s'ajoute dès lors un corollaire, la *société civile*, qui devient la force de légitimation du pouvoir et d'auto-organisation de la société. Un gouvernement légitime est désormais un gouvernement qui satisfait les besoins de la société. Tel est le principe de la société civile : une puissance qui institue l'État et se pose en récipiendaire de son action.

Parce que la société civile et les individus sont les véritables moteurs de l'histoire, il faut les laisser libres, conclut-on logiquement. Ce n'est plus le pouvoir qui produit la société, mais la société qui se produit elle-même. Le pouvoir n'est plus la cause de la société, mais son effet. La société des individus est première ; l'État devient second. Depuis ce retournement conceptuel, la dichotomie entre la sphère sociale et la sphère politique n'a plus cessé de se creuser, à tel point que l'articulation entre démocratie et libéralisme – ou citoyen et acteur privé – n'a plus rien d'évident. Il est en effet tentant, dès lors que l'on fait de l'individu la source de la légitimité politique, de ne voir dans le pouvoir social qu'une coercition et une limitation de sa liberté.

L'État, dans cette perspective, apparaît comme un monstre froid dont chacun doit se défaire pour accéder à sa véritable autonomie. Tout le contraire de ce qui s'est passé historiquement et de ce qui se passe encore aujourd'hui : des individus accédant à l'autonomie et pouvant exercer leur libre-arbitre grâce à l'appui de l'État (éducation, sécurité sociale, garantie des droits, infrastructures, stabilité sociale). Rien de plus normal, en ce sens, que de voir s'exprimer régulièrement, chez tous les peuples et dans toutes les couches sociales, un « désir d'État », qui prend la forme de demandes de protection, de sécurité, de stabilité, d'ordre et de justice.

Notons, du reste, que c'est aussi l'État qui est à l'origine du développement du commerce, ainsi que de l'essor de la bourgeoisie, des industriels, des marchands et des banquiers. Dans le cas des banquiers européens par exemple, leur activité est fortement soutenue par le souverain, qui leur emprunte de l'argent après qu'ils se sont enrichis grâce à la découverte du Nouveau-Monde. Les manufactures que l'État a lui-même suscitées ou encouragées font concurrence aux anciennes jurandes, maîtrises et corporations d'ouvriers. Avec le mercantilisme, et même encore avec la physiocratie, l'État devient le pivot organisateur de l'économie. Comme l'ont montré les travaux de Max Weber, Karl Polanyi, Michel Foucault et Béatrice Hibou, il n'y a pas de marché sans État. La naissance et l'extension des marchés sont presque toujours précédées d'une prolifération de règles juridiques et de réglementations d'origine étatique. Construire des marchés est même l'une des fonctions de l'État.

Aux XIXe et XXe siècles, l'État-nation reste l'institution cardinale des sociétés européennes et nord-américaines. On voit cependant s'affirmer de plus en plus le pouvoir de la classe bourgeoise industrielle, financière et commerçante. À la fin du XIXe siècle, par exemple, l'État américain apparaît soudainement démuni devant la force des cartels et des trusts. La puissance de l'État demeure, certes, mais elle découle de moins en moins de son ascendant moral, juridique ou économique, et de plus en plus de son appareil bureaucratique et de sa puissance militaire.

Sortie de la religion et déclin de la famille

À partir du XVIIIe siècle, le temps historique semble s'accélérer. Le monde change ainsi davantage entre le XVIIIe siècle et nous qu'entre l'Antiquité et le XVIIIe siècle. L'une des principales révolutions qui bouleversent alors les sociétés occidentales, c'est la sortie de la religion.

La religion est au cœur de la vie collective jusqu'au XVIIIe siècle au moins. Elle constitue le mode principal de structuration des sociétés, qui donne sa forme aux relations de pouvoir, aux liens sociaux et aux communautés. Cependant, avec l'apparition des monothéismes, l'importance sociale du religieux évolue progressivement. Les religions monothéistes instaurent en effet un mode d'être ensemble différent de celui qui caractérise les croyances polythéistes. Pour le dire grossièrement, on passe alors d'une multitude de petits dieux proches à un grand dieu lointain. Et plus le divin s'éloigne et devient abstrait, plus les hommes gagnent en indépendance.

L'âge du religieux était en effet caractérisé par la dépendance et la dette. L'âge moderne, au contraire, se construit dans l'émancipation et l'autonomie. Avec l'apparition de l'État, la loi divine fondatrice peut désormais être remise en question. La société et la religion se dissocient et peuvent même entrer en conflit. Peu à peu, les hommes défont leur lien à l'invisible, qui rendait le pouvoir inaccessible et qui figeait la société dans un état immuable.

À partir du XVIIIe siècle notamment, même si ce sont des tendances que l'on peut aussi observer à Athènes sous Périclès, la société tend à la laïcité, à la rationalité et à la différenciation, ainsi qu'à l'affranchissement vis-à-vis du droit, de la morale, du savoir philosophique, de la politique et de la science par rapport à la religion et à la magie. L'ordre social est désormais irrémédiablement soumis à de perpétuelles discussions et redéfinitions. Les Lumières ne mettent pas fin aux croyances religieuses, bien évidemment, mais elles les cantonnent dans la sphère privée. La religion devient ainsi une croyance individuelle davantage qu'un ciment culturel collectif. Pis, le nouvel ordre social renverse l'ordre religieux point à point, qu'il s'agisse de l'organisation politique, de la forme du pouvoir, de la définition des liens sociaux, des savoirs ou de la relation à la nature. Comme l'a montré Gauchet, les sociétés historiques ne sont pas areligieuses ; elles sont antireligieuses.

L'idéologie va devenir, en Europe, entre 1750 et 1850, le nouveau type de discours de la société sur elle-même et de croyance au sujet d'elle-même, en rupture avec le discours et la croyance religieuse. Prenant la place qu'avaient les anciens dogmes religieux, l'idéologie devient le discours d'explication du passé, de justification de l'ordre social présent et de détermination d'objectifs communs pour l'avenir. C'est à l'idéologie que revient, dorénavant, le rôle d'unification et de rassemblement des individus. À la croyance religieuse succède ainsi une croyance proprement politique. Autrement dit, l'idéologie est une sorte de religion séculière. À la différence qu'au discours unique de la religion se substituent maintenant plusieurs idéologies en concurrence : le conservatisme, le libéralisme et le socialisme. Et aucune ne peut prétendre au monopole.

Comme la religion, la parenté ne disparaît pas avec l'avènement de l'État, loin de là. Les groupes de parenté n'ont jamais été exclus de la vie politique, ni en Occident ni ailleurs. Ce n'est qu'au XVIIIe siècle que les États européens commencent à se soustraire véritablement à l'empire de la famille. Si la patrimonialisation a bien été combattue ça-et-là, y compris au sein de l'Église chrétienne, au moyen de mesures telles que le célibat des prêtres et la promotion des oblats, la parenté est restée jusqu'à nos jours un facteur déterminant de la vie politique.

De fait, le pouvoir politique est longtemps traité comme un patrimoine héréditaire, selon la logique domestique, tandis que la généalogie constitue le principe de légitimation dominant. Des phénomènes tels que le népotisme et la personnalisation des fonctions affectent encore probablement tous les systèmes politiques actuels. Quand bien même elle est mise à l'honneur, la méritocratie n'est souvent qu'une manière de donner une sanction apparemment neutre à des différences d'origine familiale.

Au XIVe et au XVe siècles, les fiefs ne sont pas la propriété d'un individu isolé mais d'une famille. La conquête de nouveaux territoires passe autant par les mariages et les héritages que par des achats et des expéditions armées. Ce n'est qu'à la fin du XVIIIe siècle, avons-nous vu, que la légitimité familiale le cède, en France, à une légitimité politique, et que le budget national n'est plus seulement l'extrapolation du budget de la famille royale. L'économie, de science de l'administration du ménage, devient économie politique.

La démocratie qui s'instaure en France au XIXe siècle le fait également au détriment du patriarcat. Tocqueville relève très distinctement ce passage d'une société de *pères* à une société de *pairs* : « Chez les peuples aristocratiques, la société ne connaît, à vrai dire, que le père. Elle ne tient les fils que par les mains du père ; elle le gouverne et il les gouverne. Le père n'y a donc pas seulement un droit naturel. On lui donne un droit politique à commander. Il est l'auteur et le soutien de la famille ; il en est aussi le magistrat. Dans les démocraties, où le bras du gouvernement va chercher chaque homme en particulier au milieu de la foule pour le plier isolément aux lois communes, il n'est pas besoin de semblable intermédiaire ; le père n'est, aux yeux de la loi, qu'un citoyen, plus âgé et plus riche que ses fils[1]. »

Aux relations d'obligation et de réciprocité caractéristiques de la tribu et de la famille se substituent ainsi peu à peu des relations formalisées par des codes. Et la logique du statut laisse place à celle du contrat, contribuant encore davantage à défaire le patriarcat comme mode de régulation sociale. La parenté est ainsi quelque chose à quoi l'État s'oppose en toute conscience. Comme le note le politologue Francis Fukuyama, « une fois que les États sont en place, les liens de

1. TOCQUEVILLE Alexis de, *De la démocratie en Amérique, II*,in *De la démocratie en Amérique, Souvenirs, L'Ancien régime et la révolution*, Paris : Robert Laffont, « Bouquins », 1986 [1840], p.560

parenté deviennent un obstacle au développement politique, dans la mesure où ils menacent de faire régresser les rapports politiques vers les liens personnels à petite échelle des sociétés tribales. » L'État est en lutte contre la famille.

Il en va différemment dans la sphère économique. Contrairement à une opinion très répandue, l'importance de la structure familiale n'a pas retardé le déploiement du capitalisme, qu'il s'agisse des castes en Inde ou des clans en Chine, mais elle a pu au contraire favoriser les relations commerciales à distance et la constitution, par suite, de vastes réseaux marchands. Au XXe siècle encore, nombre d'entreprises débutent sur une base familiale (ce n'est pas moi qui vais dire le contraire !), tout simplement parce que la famille est souvent le seul groupement capable de fournir les capitaux, l'autorité et les relations de confiance nécessaires pour démarrer une activité commerciale. Le sociologue britannique Ronald Dore a par exemple montré que le modèle patrimonial, loin de freiner l'industrie japonaise, lui a donné une cohérence et une discipline qui ont permis son développement rapide[1]. C'est donc une erreur de l'histoire économique que de présenter un remplacement graduel de l'entreprise familiale par des organisations bureaucratiques impersonnelles. Hormis aux États-Unis, la famille reste le soubassement élémentaire de la plupart des entreprises modernes.

Au sein des sociétés monarchiques, la maison reste longtemps le foyer de l'économie. Dans la demeure hellénique et romaine, selon la formule de Robertus : *Nihil hic emitur, omniadomigignuntur* (« Rien n'est acheté, tout est créé dans la maison »). Pour Braudel, entre le XIe et le XVIIIe siècle, « la société occidentale présente partout les mêmes cadres, les mêmes pièces maîtresses : à savoir la ville, sa bourgeoisie,

1. DORE Ronald P., *British Factory, Japanese Factory: The Origins of National Diversity in Industrial Relations*, London: Allen &Unwin, 1973

son artisanat, ses franchises ; les campagnes avec leurs paysans enracinés [...] et leur seigneurs, ces derniers plus préoccupés, comme le paysan, de conduire leur “maison” que de songer au profit et à l'économie, au sens que lui donnera notre société moderne. Car l'économie, ce fut d'abord et à longueur de siècles, l'*œconomie*, le soin, le souci de la maison[1] ».

À partir du XVIIIe siècle, en effet, l'unité parentale et domestique se fissure peu à peu. Le foyer et le travail commencent à se séparer, et cela fonde, comme le souligne Adam Smith, la plus importante de toutes les divisions modernes du travail. L'avantage de cette séparation des affaires et du ménage, ainsi que l'a souligné Max Weber, est de permettre à l'entreprise de se défaire des territoires, des obligations éthiques et des engagements à long terme.

Avec la manufacture, le travail est accompli hors du foyer selon des règles disciplinaires et des formes d'autorité distinctes de celles du ménage. En outre, le ménage ne consomme plus uniquement ce qu'il produit, mais il achète en dehors des biens et des services au moyen de l'argent qu'il a également gagné en dehors. Est ainsi progressivement rompu le lien direct entre le foyer et la production d'une part, et le foyer et la consommation d'autre part.

Comme nous l'avons vu, le *travail* n'est absolument pas valorisé dans les sociétés tribales. Jusqu'à la veille de la révolution industrielle, les hommes ont toujours passé davantage de temps à jouer qu'à travailler. Au Moyen Âge, quasiment la moitié des jours du calendrier religieux étaient fériés.

En faisant du travail la source de toute propriété, Locke enclenche une dynamique qui fait passer le travail de la situation la plus basse à la place d'honneur. Passe-temps

1. BRAUDEL Fernand, « Sur une conception de l'histoire sociale », *Annales E. S. C.*, n°2, avril-juin 1959, pp.308-319, reproduit in *Écrits sur l'histoire*, op. cit.,pp.175-186, p.179

autrefois méprisé, le travail devient l'activité sociale la plus noble. À la suite de Locke, Adam Smith affirme avec force que le travail est la source de toute richesse, puis Marx théorise l'ensemble de l'économie à partir de cette catégorie de travail, qu'il oppose à celle de capital. Le travail qui est ainsi valorisé n'est pas l'œuvre de l'artisan, comme l'a bien vu Hannah Arendt, mais la production d'objets destinés à être vendus[1]. Ces biens de consommation se définissent moins par leur valeur d'*usage* que par leur valeur d'*échange*.

Le découplement de l'économie et du foyer, ainsi que l'importance de la valeur d'échange relativement à la valeur d'usage, voilà deux évolutions majeures que la nouvelle ère vient bouleverser, comme nous le verrons par la suite.

L'essor du capitalisme moderne

Peu à peu, ainsi que l'a montré le sociologue Ferdinand Tönnies, la *communauté*, dans laquelle les hommes sont liés organiquement, le cède à la *société*, qui ressemble davantage à une juxtaposition de sphères autonomes. La société, précise-t-il, « est comprise comme une somme d'individus naturels et artificiels dont les volontés et domaines se trouvent dans des associations nombreuses et demeurent cependant indépendants les uns des autres et sans action intérieure réciproque[2]. » Cette société que décrit Tönnies correspond à ce que l'on nomme « société civile » ou « société d'échange ». Au sein de ce type de groupement, l'ordre n'est pas le fruit de la concorde naturelle, de la coutume et de la religion, mais il est le fait de conventions, d'arrangements politiques et d'échanges économiques.

---

1. ARENDT Hannah, *Condition de l'homme moderne*, trad. de l'anglais par G. Fradier, Paris : Calmann-Lévy, 2001 [1958]
2. TÖNNIES Ferdinand, *Communauté et société : catégories fondamentales de la sociologie pure*, trad. de J. Leif, Paris : Retz, 1977 [1887], p.92

L'économie, au sens où l'on entend aujourd'hui ce mot, ne se développe véritablement qu'à partir de la fin du XVIIe siècle. Pour que le capitalisme puisse se développer, il faut attendre en effet que l'État et la société se disjoignent. Avec le mouvement des *enclosures*, en Angleterre, apparaît une agriculture commerciale distincte de l'agriculture de subsistance. Là, les paysans, les fermiers individuels et les propriétaires indépendants font place à des ouvriers agricoles. La classe foncière anglaise tend ainsi à se « dé-féodaliser », en ce sens que la position économique de ses membres dépend de moins en moins du recouvrement des droits féodaux, et de plus en plus de la valeur commerciale de leurs produits agricoles. À mesure que s'amplifient les échanges capitalistes, sur toute la surface du globe, l'ensemble des classes de la société se met en mouvement. L'individu n'a plus une place immuable et incontestée sur l'échelle sociale. Sa vie, de plus en plus, dépend de ses propres efforts.

Le capitalisme a donc sur l'individu un effet libérateur, en ce qu'il le délivre du poids uniformisant des anciennes corporations et lui permet de tenter sa chance par ses propres moyens. La vie est plus risquée, mais elle peut être plus profitable. L'argent joue ainsi le rôle de « grand égalisateur qui efface la naissance et la caste », comme l'a avancé le psychologue Erich Fromm, qui est même allé jusqu'à affirmer que « l'avènement du capitalisme a constitué un progrès énorme pour l'épanouissement de la personnalité humaine[1]. » Cela ne va pas sans contreparties, bien entendu, mais il me semble important de rappeler cet aspect positif du capitalisme, qui explique aussi sa diffusion massive et l'enthousiasme qu'il a pu déclencher – et qu'il continue aujourd'hui encore de susciter. Loin d'avoir été imposé à

1. FROMM Erich, *La Peur de la liberté*, trad. de l'anglais par C. Janssens, Paris : Buchet-Chastel, 1963 [1941], p.87

toute force aux individus, le capitalisme a pu être utilisé par ceux-ci pour assouvir leur désir de liberté.

Le développement de l'économie favorise également le développement du droit. Le droit de propriété est ainsi un moyen de lutter contre la puissance de la force physique, en ce qu'il oppose, à la puissance brute du seigneur ou du souverain, celle de l'argent et du droit. La loi devient ainsi progressivement une frontière entre le public et le privé. Au sein de ce nouveau référentiel, la liberté est de moins en moins liée à la politique, et de plus en plus à la propriété. Le souverain, est-il entendu, ne doit plus se mêler du contenu de la vie sociale.

Avec l'avènement du capitalisme moderne, au XVIIIe siècle, l'économie n'est plus le moyen d'accomplir les fonctions nécessaires à la survie de la communauté, mais elle doit être au service de la poursuite d'intérêts privés et de la recherche d'un gain individuel maximum. La société ne semble plus avoir de but commun, sinon de maximiser au mieux le plaisir de chacun de ses membres. La propriété privée et les intérêts individuels constituent des fins en soi. Les *affaires* se détachent de la *production* et le marchand, par sa position d'intermédiaire entre le producteur et le consommateur, en vient à façonner l'essentiel de la vie économique. L'empire de la morale tend à reculer.

C'est sur ce terreau que va faire jour et prospérer l'utilitarisme, dont le plus éminent représentant est Jeremy Bentham. Selon lui, les droits ne doivent pas être dérivés de la nature, mais de l'utilité. Le jugement, selon cette perspective, doit faire place à la mesure et au calcul. L'utilitarisme repose donc, comme l'a souligné à juste raison Alain Caillé, « sur l'affirmation que les sujets humains sont régis par la logique égoïste du calcul des plaisirs et des peines, ou encore par leur seul intérêt[1]. » Faisant l'apologie du travail

1. CAILLÉ Alain, *Critique de la raison utilitaire : manifeste du Mauss*, Paris : La Découverte, 1989, pp.17-18

et condamnant les improductifs, l'utilitarisme est l'idéologie des classes moyennes, des possédants moyens, des commerçants et des industriels non nobles.

À partir de ce terreau social et intellectuel, le bien devient marchandise, l'échange devient transaction, et l'argent devient une sorte d'énergie spirituelle qui concentre les ambitions économiques, mais aussi politiques, techniques et scientifiques. Cette prévalence de l'argent favorise également la montée en puissance du calcul rationnel.

Avec Adam Smith, précisément, la pensée économique devient une analyse rationaliste partant de la matière et considérant l'individu comme un facteur de production parmi d'autres. Selon ce nouvel entendement, la vie économique est entièrement compréhensible comme un jeu mécanique de causes et d'effets visibles n'entretenant que des liens instrumentaux avec les sphères politiques et religieuses. Le déploiement de la rationalité marchande accompagne en ce sens celui de la raison scientifique.

Les sciences et les techniques modernes

Apparaissant autour de 1750, comme nous l'avons dit précédemment, la notion de « progrès » va cristalliser l'idée d'un développement continu de la société le long d'un temps linéaire. Jusque-là, l'emprise du religieux et de la communauté sur les existences individuelles est à peu près totale. Tout est mythe, conservation du monde reçu, indifférenciation institutionnelle. Sous le coup des révolutions politiques, sociales et économiques qui ébranlent la fin du XVIIIe siècle, les sociétés occidentales semblent se projeter dans le devenir historique et accéder à la conscience des pouvoirs sur elles-mêmes dont elles disposent. Plus rien ne semble devoir résister à leur volonté et à leur action. Ainsi que le déclare D'Alembert dans son *Discours préliminaire à*

L'Encyclopédie, le XVIIIe siècle « se croit destiné à changer les lois en tous genres[1] ».

Dans la société qui fait alors jour, le temps dominant n'est pas le présent, ni le passé, mais l'avenir. C'est une société qui planifie son déploiement dans le temps, qui organise son propre changement dans la durée. Le concept de progrès répond à la double question : *que faire aujourd'hui* et *que faire demain ?*

La réponse à ces questions est généralement formulée en termes d'accroissement : davantage de biens, de services, d'énergie, de savoirs, de droits et de libertés. Grâce à cette notion de progrès, qui sera ensuite remplacée par celles de *développement* et de *modernisation*, les sociétés laïques ont trouvé le moyen de se tourner avec confiance vers l'avenir. La foi actuelle des libéraux dans la croissance est un héritage direct de cette croyance au progrès.

Le vecteur d'accomplissement du progrès, ce va être la *technique*, entendue comme activité organisée et efficace visant à transformer le monde. À la fin du XVIIIe siècle, la Révolution industrielle va accentuer l'objectivation des rapports sociaux et des qualités humaines. Selon ce prisme, le travail est toujours davantage appréhendé comme quantité, volume et masse. La quantification, sur laquelle reposait déjà le commerce, envahit le secteur de la production.

Les sociétés tribales faisaient corps avec la nature, se considérant comme l'un de ses éléments parmi tous les autres, s'identifiant à elle, s'immergeant en elle, se comprenant à son aune. En se constituant en force de l'histoire et en volonté autonome et libre, les hommes se posent comme radicalement étrangers à la nature. Le thème de

1. D'ALEMBERT Jean Le Rond, « Discours préliminaire à *L'Encyclopédie* », in DIDEROT Denis et D'ALEMBERT Jean Le Rond, *Encyclopédie ou Dictionnaire raisonné des sciences, des arts et des métiers*, mis en ordre et publié. par M. Diderot, et quant à la partie mathématique par M. D'Alembert..., Stuttgart ; Bad Cannstatt : F. Frommann, 1967 [1751], p.xix

la *civilisation*, qui va être porté avec tant d'énergie par les Lumières, cristallise ce désir occidental de se concevoir comme extérieur à une nature jugée bestiale, imparfaite, irrégulière et capricieuse. La *culture*, selon cette perspective, est ce qui s'oppose à la nature. C'est contre cette dépréciation radicale de la nature que se bâtira par la suite le romantisme, qui peut se comprendre comme un retour à la nature et à sa contemplation, et plus tard encore l'écologie, dont nous parlerons plus longuement à la fin du livre.

L'homme moderne conçoit désormais le monde comme un objet extérieur, entretenant avec lui des rapports essentiellement instrumentaux. Le projet dessiné par Descartes en 1637, de « nous rendre comme maîtres et possesseurs de la nature[1] », devient un siècle plus tard une réalité. Le travail se pense comme technique, comme production et comme transformation de la nature. L'un des effets des progrès des techniques et de la science est de délester peu à peu le monde et les choses de toute une pesanteur symbolique, mythologique et même esthétique, jusqu'à les ravaler au rang de simples instruments.

En art, si les peintres classiques ne présentaient que des paysages nobles et grandioses, composés d'imposantes montagnes et d'arbres majestueux, l'impressionnisme se contente de champs plats, de petites bicoques et d'objets domestiques. Cette évolution des sujets est révélatrice de la banalisation du rapport de l'homme à la nature.

Le déploiement de cette rationalité instrumentale se conjugue avec celui de la rationalité marchande. De concert, l'ingénieur et le marchand prennent possession de la nature et la travaillent. Le monde naturel devient un ensemble de ressources et de propriétés sur lequel il faut mettre la main et qu'il faut réorganiser. La terre, le sous-sol, les forêts,

1. DESCARTES René, *Discours de la méthode* (1637), in *Œuvres et Lettres*, ed. A. Bridoux, coll. « Bibliothèque de la Pléiade », Paris : Gallimard, 1953, p.168

les cours d'eau : tout peut désormais entrer dans un vaste système d'exploitation et de production. La ville, devenant tout entière un gigantesque marché, traite toujours davantage la campagne comme un instrument et un objet auxiliaire.

Avant ce basculement, le monde est donné ; après, il est à constituer. De même que la collectivité n'est plus innée ou héritée mais produite par le libre jeu des atomes sociaux que sont les individus, la nature n'est plus dotée d'aucune perfection en soi. Le monde naturel n'est pas quelque chose qu'il faut préserver et contempler, ou un cosmos totalisant dans lequel on doit se fondre. C'est au contraire une chose qui doit être sans cesse accaparée, optimisée, mise au cordeau. On ne se soumet pas à la nature ; on se la soumet.

Cette croyance est ce qui différencie sans doute le plus, aujourd'hui encore, l'Occident et l'Orient. Mais pour certains occidentaux aussi, comme le sociologue Georges Friedmann, cette coupure d'avec la nature et le rythme biologique, cette « exclusion du milieu naturel, autrement dit la contrainte, par la vie urbaine, de vivre de plus en plus complètement dans l'artifice – au sens propre du terme – constitue une menace majeure pour la santé mentale de l'espèce.[1] » Pour d'autres, cette technicisation totale de notre environnement, en accroissant exponentiellement nos possibilités d'action, nous offre l'opportunité de développer pleinement nos capacités créatrices. Fidèle au principe d'ambivalence, je pense pour ma part que ces deux dimensions accompagnent conjointement l'essor des techniques.

Alors que l'homme tribal étendait son corps et son territoire jusqu'à inclure l'univers tout entier, l'homme civilisé tend à découper l'espace en parcelles closes et fonctionnelles. Un territoire doit être, selon ce nouvel entendement,

1. FRIEDMANN Georges, « Nouveau milieu et santé mentale », in *La Puissance et la sagesse*, Paris : Gallimard, 1977, pp.52-55, p.54

quelque chose de borné par des frontières, de défini par un droit de propriété et d'assujetti à une finalité particulière.

En plus de se rendre maître et possesseur de l'espace, l'homme entreprend de contrôler le temps. À partir du milieu du XVIe siècle, comme le note Marshall McLuhan, les hommes manifestent un intérêt croissant « pour la mesure exacte du temps, des quantités et des distances, tant dans leur vie personnelle que dans la vie publique.[1] » La propagation des horloges dans les foyers impose aux individus un temps régulier et uniforme, distinct de celui de leur expérience ou de leur corps biologique. De fait, ce n'est pas seulement le travail qui est soumis à la régularité de l'horloge, mais également le temps du foyer, les repas, les jeux, le sommeil.Il n'est donc pas surprenant que l'horloge devienne, à partir du XVIIe siècle, la métaphore d'un univers cosmique soumis à des lois strictes et bien réglées. Du reste, il n'est pas absurde de penser que c'est l'observation de l'horloge et la familiarité à cet objet qui a inspiré, au moins en partie, les théories physiques mécanistes, et notamment celles de Newton.

Mettant en coupe réglée le temps et l'espace, l'homme produit le monde qu'il habite ; son environnement « naturel » devient l'univers artificiel et mécanisé de la ville et de l'usine ; sa survie dépend toujours davantage de sa capacité à utiliser des artefacts. Et l'individu est défini d'ailleurs de plus en plus comme un fabricant d'outils, un *homo faber*. Son monde est clos, maîtrisé, utilitaire et finalisé : il vise à produire, selon des procédures rationnelles, un résultat prédéterminé. C'est un monde de moyens et de fins régi par le principe d'efficacité.

Dans le sillage de la Révolution industrielle, l'idéal d'*efficacité* devient en effet un principe cardinal de l'action humaine. Comme l'a montré Sebastian de Grazia, une fois

1. MCLUHAN Marshall, *La galaxie Gutenberg. Vol. 2 : La genèse de l'homme typographique*, trad. de l'anglais par J. Paré, Paris : Gallimard, 1977 [1962], p.306

le temps découpé en portions régulières et rendu visible, il devient plus aisé de l'utiliser plus efficacement[1] - et moins illogique de faire ainsi, pourrait-on ajouter. Le temps, désormais, peut être gagné, perdu, accéléré, ralenti, de même que l'espace change de dimension avec l'invention du train à vapeur, puis de l'automobile et de l'avion.

Progressivement, le paysan, l'artisan et même le marchand perdent en importance au profit de l'entrepreneur, de l'ingénieur et de l'ouvrier d'usine. Ce sont eux qui organisent et font tourner la grande machine productive. Parmi eux, les ingénieurs, dont la profession date du milieu du XVIIIe siècle (l'École des Ponts et Chaussées est créée en 1747), apparaissent comme les nouveaux prêtres de la société industrielle. C'est à eux que revient la tâche d'appliquer systématiquement le savoir scientifique et technique à la production de biens et de services. C'est de ce corps de métier que seront issus une grande proportion de managers, à partir du début du XXe siècle. Et ce sont ces cols-blancs qui vont constituer par la suite la colonne vertébrale de la classe moyenne occidentale.

S'ouvre ainsi une ère du *comment* où règne la logique du mode d'emploi. *L'Encyclopédie* de Diderot et d'Alembert est le parfait représentant de ce mouvement de codification des pratiques. Le savoir-faire logé dans le corps de l'artisan expérimenté est progressivement extériorisé, déposé sur papier et soigneusement codifié. Frederick Taylor ira plus loin encore en imaginant d'extérioriser tout le savoir-faire des ouvriers pour le transformer en standards objectifs et en protocoles écrits. Les méthodes et les machines, qui visaient d'abord à perfectionner le tour de main, servent ensuite à le rendre superflu. Si le travail avait depuis toujours reposé sur l'adresse du travailleur qualifié davantage que sur son

1. DE GRAZIA Sebastian, *Of Time, Work and Leisure*, New York: Vintage Books, 1994 [1962]

outillage souvent rudimentaire, il est désormais de plus en plus réductible à l'outil. Et cet outil est de plus en plus dépouillé de son caractère organique et instinctif, qu'il avait encore pendant la première Révolution industrielle, pour devenir plus mathématique, plus calculatoire et plus proche de l'automatisation.

Très logiquement, cette prééminence sociale et symbolique accordée à la technique s'accompagne d'une valorisation de la vie matérielle et de la culture matérielle. À la fin du XIXe siècle, l'enthousiasme pour le progrès matériel traverse toutes les couches sociales en Occident. Il anime les hommes d'affaires, les politiciens, les journalistes, les travailleurs et même de nombreux leaders socialistes. Ces derniers acceptent comme allant de soi le parallèle alors tracé entre développement technologique et grandeur nationale. Ils critiquent la répartition inégale des richesses, mais pas la croyance générale dans les bienfaits de la croissance économique.

Les manières de gouverner les individus s'adaptent également à cette prééminence de la technique. Jusqu'au XVe siècle, le souverain régnait selon des fins morales et en référence à des principes généraux. Avec Machiavel, pour la première fois, la compréhension de la société réelle devient plus importante que les justifications religieuses et éthiques dont s'accompagnent nécessairement les gestes du souverain. L'action du souverain se sécularise. Gouverner devient une technique impersonnelle.

Cette dépersonnalisation du pouvoir s'exprime également dans la manière de régler les différends. La justice, dans les sociétés tribales, consiste à restaurer un lien social entre des parties en litige qui se connaissent plus ou moins et sont vouées à continuer à traiter l'une avec l'autre. Au contraire, dans les sociétés monarchiques, et notamment une fois que l'État prend des mains de l'Église la fonction de rendre justice, il n'est plus question de compenser un déséquilibre par un échange de sentiments, mais de déterminer de manière formelle et rationnelle qui a tort et qui a raison, qui est légalement responsable et à combien doit se monter le dédommagement.

Dès la Grèce antique, le savoir apparaît comme un outil de transformation du monde d'une puissance extraordinaire. On connaît la célèbre formule d'Archimède : « Donnez-moi un point d'appui : je soulèverai le Monde ». Cependant, s'il y a bien des savants à Babylone, à Athènes, à Rome et tout au long du Moyen Âge, ce n'est qu'à partir de la Renaissance que la science prend véritablement son essor. Elle n'a d'ailleurs commencé à avoir un impact sérieux sur la technologie qu'à la fin du XIXe siècle. Auparavant, la technologie précède la science et les inventions sont quasiment toutes l'œuvre de praticiens.

Dans un monde où domine la religion, le savoir scientifique est nécessairement confiné aux cabinets des savants. En 1543, la parution du *De revolutionibus* de Copernic transforme de fond en comble la cosmologie en substituant l'héliocentrisme au géocentrisme : ce n'est plus le Soleil qui tourne autour de la Terre, mais l'inverse. Cependant, ses affirmations étant en contradictions avec les axiomes bibliques, elles sont violemment combattues par les théologiens catholiques et protestants. L'hypothèse est soutenue à nouveau par Galilée en 1610, sur la base d'observations réalisées grâce à des lunettes qu'il a fabriquées lui-même, puis vingt-deux ans plus tard dans son *Dialogue sur les deux plus grands systèmes du monde*. Accusé par l'Église, il doit abjurer ses affirmations et finit sa vie en résidence surveillée. Il ne sera réhabilité qu'en 1992, par le pape Jean-Paul II.

Dans les sociétés religieuses, le mythe a pour fonction de conserver le monde à l'identique. Le savoir scientifique, tout au contraire, vise à transformer le réel. Le langage de la science n'est pas mythique, il est révolutionnaire. Tout comme le Moyen Age croyait au salut par la foi, la société croit, à partir du milieu du XVIIIe siècle, au salut par la science et par elle-même. Science et religion apparaissent comme difficilement compatibles.

La science moderne naît en Europe dans les cerveaux d'hommes comme Bacon, Descartes, Hobbes, Locke, Leibniz, Montesquieu, Condillac, Diderot, d'Alembert et Condorcet. Les sciences et les techniques commencent progressivement à pénétrer la connaissance philosophique et à influer sur elle. S'il est un grand philosophe de la science moderne, c'est Descartes. Celui-ci traduit, en termes subjectifs, les principes de découverte de la vérité mis en œuvre avant lui par Kepler et Galilée dans l'observation des phénomènes naturels.

Conséquence de la diffusion de l'idéal scientifique, à partir du XIXe siècle, l'éducation et l'enseignement se transforment en un puissant régulateur social. Il devient évident que s'orienter dans le monde requiert moins la connaissance des principes divins que celle des axiomes de la science. L'éducation laïque est ainsi théorisée comme une manière de créer une élite et de fortifier la nation, que ce soit par Napoléon en France, Humbolt en Allemagne ou Thomas Arnold en Grande-Bretagne. Le maître d'école devient un souverain éducateur. C'est un tel schéma, verrons-nous, qu'il faut aujourd'hui transformer de fond en comble.

3.

Et maintenant, une nouvelle ère

Nous y sommes

S'il fallait décider d'une date d'entrée dans cette nouvelle ère, je choisirais 1989. C'est l'année de la destruction du mur de Berlin qui met fin à la guerre froide, mais c'est aussi l'année de création du World Wide Web au CERN (Conseil européen pour la recherche nucléaire) qui ouvre l'ère d'Internet. Les bouleversements que nous avons connus depuis ces deux événements me font croire que nous sommes entrés dans une nouvelle période historique.

Internet a bouleversé les sociétés humaines comme l'a fait à l'Antiquité l'invention de l'écriture. La transformation ne fait que débuter, mais nous voyons déjà comme le numérique ne laisse rien intact, redessinant les rapports économiques, sociaux et politiques, bouleversant nos repères et nous obligeant à réinventer la société.

Se dessine également, depuis un siècle, un changement scientifique et institutionnel qui remet en question le paradigme de la monarchie, du *centre comme point organisateur de la société et du savoir*.

Ce changement a été amorcé dans le champ intellectuel il y a cent ans exactement, par Einstein et sa théorie de la relativité, comme je le disais en introduction. Il s'est poursuivi avec la théorie quantique, la cybernétique, la géométrie fractale, la théorie du chaos et la théorie de la rationalité limitée. Davantage qu'à un principe de causalité, ces théories obéissent à un principe de rétroaction (*feedback*). La science contemporaine ménage ainsi une place aux dynamiques systémiques et au *doute*. La recherche de la vérité fait place à la discussion ainsi qu'à la découverte par sérendipité et par tâtonnement (*trial and error*).

Dans le domaine social et politique, nous voyons se dessiner de plus en plus des organisations en réseau plutôt que des sociétés hiérarchisées, monarchiques et autoritaires. Le mouvement zapatiste, l'alter mondialisme et le mouvement Occupy sont autant d'expressions d'un même désir de se défaire de la logique monarchique et d'inventer des communautés fondées sur la *liberté*, l'*acentralité*et la *participation*.

Dans le domaine des sciences humaines, les penseurs des années 1970 ont imaginé des modes de gouvernement au sein desquels les sujets se définissent moins par leurs rapports de subordination à un souverain central que par leur position médiane au sein d'un réseau de flux qu'ils reçoivent et émettent. Ici, point de centre de commandement, mais des rapports de pouvoir réversibles et changeant au gré des flux d'information. Tel est le plan de travail qu'ont arpenté des théoriciens tels que Foucault, Lyotard, Deleuze, Guattari et Luhmann.

Se développe alors, dans le sillage de la cybernétique, une intelligence du réseau, de la coproduction d'un ordre par interaction et négociation, de la dispersion de la justice, de l'armée, des finances ; une pensée de la « société sans centre[1] », écrit Luhmann, d'un « système acentré, non hiérarchique et non signifiant, sans Général, sans mémoire organisatrice

1. LUHMANN Niklas, *The Differentiation of Society*, New York: Columbia University Press 1982, p.xv

ou automate central, uniquement défini par une circulation d'états », comme l'imaginent Deleuze et Guattari, par opposition aux « systèmes centrés (même polycentrés), à communication hiérarchique et liaisons préétablies[1] ». On passe alors d'un esprit des institutions à un imaginaire des dynamiques, d'une conception de la substance à une autre de la relation, selon le modèle non plus de la division cellulaire mais du système nerveux ou neuronal.

Ces auteurs ont vu dans la cybernétique et les communautés des années 70 les germes de la nouvelle ère. Ils ont compris que nous étions en train de passer des blocs aux flux et des certitudes aux ambiguïtés, aux fragmentations, voire aux incohérences et à l'irrationalité. Ils ont vu que la pyramide hiérarchique le cédait peu à peu à la dé-hiérarchisation, au polycentrisme et à l'hybridité.

Voilà aussi un programme qui s'inscrit pleinement à la croisée des préoccupations nouvelles du management à partir des années 80 et 90 : étant donné le degré de finesse auquel est parvenu le contrôle individuel, la somme des données à contrôler et le fait que l'on ne peut multiplier à l'infini le nombre de contrôleurs, comment instaurer le contrôle de soi en lieu et place de la surveillance centralisée ? Le mouvement de démocratisation des entreprises, pour lequel j'œuvre dans ma propre entreprise depuis 43 ans, s'inscrit ainsi pleinement dans la logique de cette nouvelle ère. Il n'est d'ailleurs pas le seul, et l'on peut voir les germes de l'autogestion et de l'auto-organisation apparaître en Russie en 1905, en Espagne en 1926, en Hongrie en 1956, en Yougoslavie dans les années 1960 ou encore dans les kibboutz israéliens durant l'après-guerre.

1. DELEUZE Gilles et GUATTARI Félix, *Capitalisme et schizophrénie, tome 2 : Mille plateaux*, Paris : Editions de Minuit, « Critique », 1980, p.32

Une période de transition troublée

La nouvelle ère s'ouvre dans un bruit sourd d'orage. Pour beaucoup d'observateurs, le ciel de l'avenir est couvert de nuages. Les temps sont davantage à la morosité qu'à optimisme et cela, même s'il ne faut pas tomber dans le catastrophisme, est en grande partie justifié. Voyons pourquoi.

Mon ami Edgar Morin le dit sans détour : en ce début de XXIe siècle, nous assistons à la « désintégration de la foi dans le progrès[1] ». Le XXe siècle avait déjà de quoi nous faire abandonner cette notion, lui qui a vu les démocraties libérales sombrer dans la folie guerrière et les massacres de masse. L'histoire qui s'ouvre devant nous n'est pas moins lourde de menaces et d'incertitudes. Nous ne sommes plus complètement convaincus, comme durant les Trente Glorieuses, que nos enfants auront une meilleure vie que la nôtre. Beaucoup de nos concitoyens semblent peu ou prou inquiets, dépossédés des leviers d'action sur eux-mêmes et sur la société. Ils se sentent davantage les jouets du destin que ses maîtres, et sont enclins en ce sens à se tourner vers des chefs autoritaires qui leur promettent de leur redonner les commandes de leur vie.

Paradoxalement, à l'heure où la démocratie triomphe sur toute la surface de la planète, il devient criant que les régimes démocratiques éprouvent de grandes difficultés à se gouverner. La force ordonnatrice et planificatrice de l'État semble sur le déclin. L'Église, le parti et le syndicat, ces formes d'organisation traditionnelles centralisées qui portaient autrefois des projets politiques et sociaux forts, sont aujourd'hui marginalisées ou décrédibilisées. La dette envers la nation, le sacrifice à l'égard de la patrie, le respect dû à la souveraineté de l'État : rien de tout cela ne paraît plus avoir cours aujourd'hui. Le

---

1. MORIN Edgar et BAUDRILLARD Jean, *La Violence du monde*, Paris : Éditions du félin, 2003, p.53

droit lui-même, qui constituait un puissant ciment dans les sociétés monarchiques, est aujourd'hui matière à négociations. Il a perdu en transcendance. Le politique paraît en crise. Plus grand-chose ne nous sépare, certes, mais pas grand-chose ne nous rassemble non plus. Les Français se sont bien levés comme un seul homme, le 11 janvier 2015, pour défendre leurs valeurs et la liberté d'expression, mais quand voit-on encore ce genre d'union nationale, sinon à l'occasion de victoires de l'équipe de France de football ?

Par bien des aspects, la politique s'est technicisée. Elle a perdu en substance à mesure qu'elle gagnait en complexité, pour finir par se dissoudre dans la bureaucratie, l'expertise, les sondages et les statistiques. Comme le notait Whitehead dès les années 1920, « les fonctions spécialisées de la communauté sont pratiquées mieux et de façon plus progressive, mais l'orientation générale manque de perspective.[1] » Nous pouvons faire sans cesse davantage de choses, et nos instruments d'analyses semblent multipliés exponentiellement à mesure que les ordinateurs se perfectionnent. Pour autant, notre compréhension du monde est-elle à la hauteur de nos capacités d'action et de calcul ? Pire, sommes-nous encore capables de comprendre ce que nous faisons ? Grave question que Hannah Arendt posait il y a un demi-siècle déjà et qui reste plus que jamais d'actualité[2].

Nos gouvernants, par bien des aspects, ont abandonné les grands projets ambitieux pour se cantonner à la gestion courante des affaires, au vote du budget et à l'organisation des prochaines élections. Nous croulons sous la prolifération des normes, des principes, des objectifs, des indicateurs, des instances de décision, des techniques d'évaluation, des procédures de certification, etc. Mais savons-nous toujours bien quelles fins servent un tel arsenal ?

---

1. WHITEHEAD Alfred North, *La Science et le monde moderne*, trad. de l'anglais par P. Couturiau, Paris : Ed. du Rocher, 1994 [1926], p.228
2. ARENDT Hannah, *Condition de l'homme moderne*, op. cit., p.36

La politique est surchargée de problèmes et, dans le même temps, elle semble vide de toute pensée. Notre grande intelligence des questions techniques cache bien souvent notre ignorance des enjeux sociaux. La société de l'information et de la formation continue semble paradoxalement renoncer au savoir comme instrument d'émancipation et de transformation de la société. Est-il encore possible d'avoir une vue générale de la société ? Ou sommes-nous condamnés à des coups de sonde parcellaires et ponctuels ? La société existe-t-elle encore, ou n'y a-t-il plus que des sphères semi-autonomes, des champs obéissant chacun à leur propre logique et à leur propre intelligibilité ?

Les grandes idéologies élaborées depuis le XIXe siècle pour définir l'orientation générale des sociétés sont largement démonétisées, qu'il s'agisse du discours sur la tradition tenu par le conservatisme, du discours sur le progrès tenu par le libéralisme ou du discours sur la révolution porté par le socialisme. Ce n'est pas un mal en soi, pour peu que l'on imagine un logiciel intellectuel qui nous permette de donner sens au monde dans lequel nous entrons.

Car l'histoire a donné raison à Hegel : il n'y a pas eu de progrès politiques essentiels depuis la Révolution française. Fukuyama a eu tort de déclarer un peu abruptement « la fin de l'histoire », mais son idée générale était juste : nous assistons à la reconnaissance généralisée de la démocratie libérale comme système de gouvernement ultime face aux idéologies rivales que sont la monarchie héréditaire, le fascisme et le communisme.

Et pourtant, comme je le disais à l'instant, alors que la démocratie triomphe partout, elle est souvent incapable de proposer un projet politique autre que la satisfaction des besoins de tous et le respect de l'individualité de chacun. Voilà pourquoi la démocratie doit être revitalisée. Pour ce faire, je propose de substituer une *démocratie concertative* à la démocratie représentative qui prévaut dans nos institutions publiques et au despotisme éclairé qui règne dans la plupart de nos entreprises. Comme je le montrerai dans la prochaine partie, ce régime concertatif constitue un système d'organisation acentré générateur de liberté, de fraternité et d'égalité.

Petit à petit, l'État perd son rôle de centralité organisatrice. Il peut même être pensé comme un simple instrument au service de la production. En revanche, c'est dans une large part au marché que revient aujourd'hui la tâche de réaliser la coordination et l'unité des singularités. L'État organisait le tout ; le marché doit désormais assurer la coexistence fluide de parties indépendantes. Et de rester entière la tension propre aux démocraties libérales entre des institutions publiques chargées d'assurer l'égalité des citoyens et des marchés reposant sur le principe d'inégalité. Je suis convaincu, pour ma part, que l'égalité doit prévaloir et qu'elle doit être le produit d'une combinaison de la liberté individuelle et d'une fraternité collective. Nous verrons ainsi, en troisième partie, comment redonner sens aux institutions publiques tout en tirant le meilleur parti des mécanismes de marché.

Pour beaucoup, l'État n'est plus là que pour adapter la société aux réquisits du marché. C'est dans une telle perspective, par exemple, que le système éducatif doit être constamment adapté au marché du travail. Au contraire, verrons-nous, l'éducation doit être réformée pour permettre à chacun de cultiver sa différence et d'assumer son autonomie. L'économie doit être au service de la société, et non la société au service de l'économie.

La question ne se pose pas uniquement au niveau politique et économique, mais également au niveau *technique*. Ainsi que l'écrivait Paul Valéry en 1931 déjà, nous vivons dans « un monde supérieurement exploité, équipé, organisé[1] ». La logique technicienne et quantitative est

1. VALERY Paul, *Regards sur le monde actuelet autres essais*, Paris : Gallimard, 1967 [1931], p.302

aujourd'hui partout. Nos dirigeants ont les yeux rivés sur les chiffres de la croissance, du chômage, du déficit budgétaire et du ratio d'endettement. L'homme du XXe siècle est un *homo technique*, souvent aveugle à ce qui n'a pas été techniquement ordonné, et sourd à ce qui n'a pas été produit par une machine.

Sans verser dans l'angélisme, je ne vois là aucune fatalité. Je suis convaincu que nous pouvons retrouver un sens commun et une vision commune. Je montrerai notamment comment la démocratie concertative permet de mettre la technique au service de la société, et comment faire de chacun un entrepreneur. Dans la nouvelle ère, les moyens doivent être au service des fins, et non l'inverse. La croissance et le désendettement, oui, mais *pour quoi faire ?* Cette question, c'est aux citoyens d'y répondre.

Aujourd'hui, le principal vecteur de représentation et d'expression de la société, ce n'est plus l'État, ce sont les médias. C'est désormais sur les écrans, et non plus dans les lieux consacrés de l'exercice du pouvoir politique, que semble se jouer l'avenir de la société. Les personnels politiques, trop souvent, sont pris dans les rets de cette société du spectacle où l'affichage de valeurs et les déclarations d'intention tiennent lieu de politique. Là encore, une démocratie concertative doit rendre sa substance aux pratiques et les arracher à la tyrannie de la mise en scène et de la communication vide de sens.

Un nouvel individu

La révolution des transports et des communications permet aujourd'hui aux individus d'être plus proches et plus interdépendants. Moins liées à leurs communautés d'origine et à leur famille, les personnes sont chaque jour davantage mobiles. Les relations qu'elles tissent entre elles ne sont plus organiques et permanentes, mais ponctuelles et spécialisées. Les sociétés ne sont plus soumises à une norme culturelle unique, mais à de multiples standards interpénétrés.

L'individu moderne ne veut plus se concevoir par rapport à des classes ou à des problèmes sociaux, comme membre du prolétariat ou comme patron par exemple, mais en fonction de critères mouvants et individuels. Ainsi que nous venons de le voir, il ne veut plus s'identifier à ces acteurs collectifs qu'étaient les « masses », les « classes », les « nations » et les « peuples », et il refuse les anciennes puissances restrictives du passé qu'étaient la loi, l'autorité du maître d'école et la famille, tout en réclamant toujours davantage de droits et d'avantages. Ce qui l'intéresse, dans la politique, trop souvent, ce n'est pas la construction d'un mouvement collectif, mais la possibilité de faire reconnaître sa spécificité identitaire ou sa réclamation particulière. Comme si la question du destin collectif pouvait se régler au niveau individuel, en étant déconnectée du passé et de l'altérité, dans une contingence absolue ! On veut participer quand ça nous chante, mais on veut également pouvoir se retrancher, quand ça nous chante aussi, dans notre petite sphère privée. « Notre morale est de moins en moins sociale », regrettait à cet égard Alain Touraine, avant de continuer : « Parce que le monde est ouvert et dangereux, divers et fracturé, la construction du « Je » devient le seul principe d'évaluation des situations et des conduites[1]. »

Par opposition à l'âge totalitaire, où il s'agissait de nier l'individu au profit du collectif, nous tombons aujourd'hui dans un extrême inverse : un individu absolu, qui se veut délié de toute obligation vis-à-vis de la société, mais qui exige énormément d'elle. Nous courrons ainsi le danger de nous enfermer dans notre petite bulle personnelle et de

---

1. TOURAINE Alain et KHOSROKHAVAR Farhad, *La Recherche de soi : dialogue sur le sujet*, Paris : Fayard, 2000, p.9 et p.10

nous étourdir, comme le notait déjà le sociologue américain Christopher Lasch dans les années 70, dans « une quête sans fin de la santé et du bien-être, par l'exercice, le régime alimentaire, les médicaments, toutes sortes de régimes spirituels, l'assistance psychique du moi, et la psychiatrie[1] », le monde extérieur n'étant là que comme source de gratification personnelle ou de frustration.

Typiquement, l'individu de l'ère monarchique se réalise moins dans la sphère publique que dans le travail et dans son chez-soi. Il s'investit par exemple énormément dans son logement, que ce soit dans son achat, sa décoration ou son aménagement. C'est dans ce cocon façonné à son image qu'il enracine sa psyché et qu'il exprime sa personnalité. L'hédonisme des années 1960 et 1970 se pratique ainsi principalement dans la sphère privée. Roland Barthes notait dès 1957 que le bonheur consistait de plus en plus à « jouer à une sorte d'enfermement domestique : questionnaires "psychologiques", trucs, bricolage, appareils ménagers, emplois du temps, tout ce paradis ustensile d'*Elle* ou de l'*Express* glorifie la clôture du foyer, son introversion pantouflarde, tout ce qui l'occupe, l'infantilise, l'innocente et le coupe d'une responsabilité sociale élargie.[2] » En réponse à ce mouvement de repli, nous envisagerons des moyens de faire pleinement participer les individus à la conduite des entreprises qui les emploient et des territoires dont ils sont citoyens. Dans la nouvelle ère, l'ouverture de multiples espaces de concertation permettra à l'individu de participer à la vie collective et ainsi de s'épanouir en dehors de chez lui.

Dans le même temps, la famille se recompose et se resserre autour de son noyau dur. L'entrée des femmes en masse dans le salariat a fini de déplacer le centre institutionnel de nos

---

1. LASCH Christopher, *Haven in a Heartless World: The Family Besieged*, New York: Basic Books, 1977, p.140
2. BARTHES Roland, *Mythologies*, Paris : Ed. du Seuil, 1970 [1957], p.48

sociétés du foyer vers l'entreprise, et vers une entreprise qui est de moins en moins familiale. N'étant plus assignés à une place déterminée dans la société, les individus semblent toujours s'inquiéter de leur statut et de leur place sur l'échiquier social. Le corollaire de cette évolution, c'est que leur identité se fait plus fluctuante et que de nouvelles anxiétés font jour auxquelles certains répondent par la recherche de nouvelles croyances religieuses, de leaders charismatiques ou de coach en tous genres.

Il est en effet important de trouver ailleurs des leviers permettant d'équilibrer l'expression des pulsions et des désirs individuels. Les anciens acteurs collectifs ont explosé en une fédération de particularismes, mais nous n'avons pas moins besoin aujourd'hui qu'hier de faire sens ensemble. Face à des individus qui ne se sentent redevables de rien et qui estiment souvent que tout leur est dû, sommes-nous en train de renoncer à toute capacité d'action collective ? À cela je réponds : non. Ne cédons pas au pessimisme. Nous verrons ainsi que les individus ne sont pas de moins en moins liés entre eux, mais simplement *différemment* liés les uns aux autres. Les réseaux sociaux, pour ne prendre que cet exemple, sont une preuve éclatante des voies aujourd'hui offertes au renouveau de la fraternité. Mais il y en a bien d'autres encore.

Vous l'aurez compris, je n'ai pas l'intention de réitérer la complainte sociologique du déclin des institutions et de l'autorité sous les coups de boutoir de la société de consommation. Le véritable problème, de nos jours, c'est tout d'abord que tout le monde n'a pas la possibilité d'être un individu, parce que cela demande des ressources, des compétences, de l'agilité et du dynamisme. Ensuite, c'est qu'il faut substituer la *relation aux pairs* à l'*autorité des pères.*

Puisque les eschatologies révolutionnaires et les mythes ancestraux se sont effondrés, il devient plus difficile pour les individus et pour les groupes de fonctionner face à la mort, face à l'avenir et face à la règle. Comme le note très justement le sociologue Robert Castel, « hier la vulnérabilité naissait de l'excès des contraintes, alors qu'elle apparaît maintenant suscitée par l'affaiblissement des protections[1]. » À l'individu positif, mobile, dynamique et adapté, correspond ainsi un double négatif : un homme, tel le vagabond, qui devient individu par soustraction à un collectif, par isolement, par défaut.

L'individu doit désormais trouver son sens et son centre de gravité en lui-même, et non dans une réalité extérieure telle que la loi, le divin ou la nature. Il doit choisir, et non être choisi, se construire et réussir plutôt que subir. Il lui faut sans cesse progresser, gagner, faire ses preuves. Cela représente souvent un travail considérable, et cela ne va pas sans de nombreux échecs. Ces échecs, nous le verrons, doivent être accueillis comme autant d'opportunités d'apprendre et de s'améliorer, plutôt que comme des jugements sur ce que nous sommes.

Le problème ne réside pas que dans les individus, comme essaie de nous le faire croire la science contemporaine qui, à force de morceler les questionnements, assoit la conviction que la solution se trouve à l'échelon le plus bas possible, c'est-à-dire, souvent, à l'échelon individuel. Les problèmes de santé publique sont ainsi, de plus en plus, rapportés aux comportements individuels (souvent appelés « comportements à risque »), et non aux choix de société qui ont conduit les individus à privilégier ce genre de « comportements à risque ». Dans une telle perspective, l'individu est un problème que doit régler la société, et non plus seulement, la société un problème que doit régler l'individu.

La troisième ère ne fait que débuter. Son mouvement général est bien visible, même s'il ne s'affirme encore que de manière balbutiante. Les germes sont là qui ne demandent

---

1. CASTEL Robert, *Les Métamorphoses de la question sociale : une chronique du salariat*, Paris : Gallimard, 1999, p.45

qu'à être cultivés, comme nous allons le détailler dans notre dernière partie. En même temps, l'ère monarchique n'a pas fini de faire sentir ses effets. Nous restons des sociétés historiques où l'État et la loi jouent un rôle prépondérant. L'ordre mondial reste un ordre international, interétatique, où quelques pays très puissants sont en mesure de faire prévaloir leurs règles et leur culture.

En même temps, la logique tribale continue elle aussi à faire sentir ses effets, comme elle continuait à faire sentir ses effets durant l'ère monarchique. L'État comme l'entreprise, avons-nous vu, restent en effet longtemps des institutions familiales et patriarcales.

La tâche qui nous incombe, aujourd'hui, c'est de dépasser, tout en les incluant, les deux ères précédentes. Nous pouvons parler à cet égard d'*aufhebung* : la nouvelle ère réagence les éléments des ères tribale et monarchique plutôt qu'elle ne les dissout. Par exemple, si l'ère tribale privilégie l'intuitif et l'instantanéité, l'ère monarchique donne au contraire le primat à la raison scientifique et au plan. Quant à elle, la nouvelle ère remet à l'honneur l'intuition et la spontanéité. Seulement, les échelles spatiales et les moyens de faire face à l'imprévisible n'ont aujourd'hui rien de comparable à ceux de l'ère tribale et l'on ne peut y faire face sans recourir à la raison scientifique et au plan.

En outre, il ne faut pas ignorer que des prémisses d'organisations holistiques, acentrées et participatives ont existé durant l'ère monarchique-scientifique. Nous y reviendrons.

Il ne faut pas ignorer non plus que l'histoire n'est pas linéaire et que l'avènement de la nouvelle ère n'ira sans doute pas sans des retours en arrière et des reviviscences de l'ordre ancien. La transition vers cette nouvelle ère se fera peut-être dans la douleur, et il est probable que notre époque doive encore longtemps combiner les désagréments de l'ordre ancien et du nouveau avant de pouvoir pleinement déployer ses potentialités.

On peut sur ce point rappeler comment la religion a été ravivée par les expériences totalitaires. Avant de définitivement se défaire de la religion, les sociétés occidentales ont tenté d'en faire à nouveau leur principe fondateur et structurant, en la figure des totalitarismes nazi et communiste[1].

Comme l'expliquait l'un de mes plus grands inspirateurs, le prix Nobel de médecine Christian de Duve, le vivant est la recherche d'équilibre entre contraires. Fait de hasard et de nécessité, de dedans et de dehors, le vivant est toujours un compromis entre le fonctionnement interne d'un organisme et son environnement[2]. Ainsi, les choses ne sont pas bonnes ou mauvaises en elles-mêmes ; elles prennent sens et agissent en fonction d'un contexte. Je prenais en introduction l'exemple du microbe, qui peut être un vaccin si on l'inocule en petite quantité de manière préventive, ou au contraire un facteur de maladie. Mais on pourrait aussi prendre l'exemple de la concurrence, qui peut être un sain émulateur, ou au contraire un obstacle à la coopération.

Tel est le sens que je donne à la notion d'*ambivalence*, et voilà pourquoi j'en fais un pivot de ma réflexion. Nous sommes trop binaires et trop catégoriques. Nous avons appris à penser, à l'école, que les choses sont soit blanches, soit noires ; qu'une chose ne peut pas être son contraire ; que tout a une place bien déterminée. Eh bien tout cela, il faut maintenant s'en défaire. Nous devons apprendre à utiliser les contresens pour construire du sens. Typiquement, il faut parfois reculer pour mieux sauter. Cela semble contre-intuitif, mais ça marche.

En ce début de XXIe siècle, nous sommes plus que jamais dans un monde d'ambivalences et de clairs obscurs, à la recherche d'un équilibre. Dans un tel moment de transition,

1. GAUCHET Marcel, *L'Avènement de la démocratie. Tome III : À l'épreuve des totalitarismes*, Paris : Gallimard, 2010
2. Cf. DE DUVE Christian, *Singularités : jalons sur les chemins de la vie*, Paris : Odile Jacob, 2005

certains regardent en arrière et sont tentés de se recroqueviller sur leur passé. Les populismes de tous bords nourrissent et se nourrissent de ces nostalgies illusoires. D'autres, au contraire, se tournent vers l'avenir. Ils ne font pas table rase du passé, mais s'appuient sur lui pour construire un nouveau monde. Ils préservent, certes, mais ils construisent aussi. C'est de leur côté, sans conteste, que je me situe.

II.

La force des principes démocratiques

4.
Liberté

L'expérience de la liberté

La liberté est le premier principe de la République française. Il a été énoncé avec force dans l'article 1er de la Déclaration des droits de l'homme et du citoyen de 1789 : « Les hommes naissent et demeurent libres et égaux en droits. »

C'est aussi une valeur fondamentale de mon existence. À l'église, on m'a appris que les Romains avaient supplicié Jésus sur une croix. À l'école, on m'a appris que les Catholiques avaient massacré les Protestants lors de la Saint-Barthélemy. Tout jeune enfant, dans les années 50, en allant voir un film avec Louis de Funès au cinéma, j'ai découvert dans les actualités qui précédaient alors les films des images tournées dans les camps de concentration : barbelés, charniers, fours crématoires, tas de crânes et d'ossements. Ces visions de cauchemar se sont imprimées en moi pour toujours.

À treize ans, mon professeur d'instruction civique m'avait parlé de la torture en Algérie, puis trois ans plus tard j'ai lu les comptes rendus du procès Eichmann publiés par Hannah Arendt, et à chaque fois j'ai été saisi d'effroi. J'ai été notamment stupéfait par Eichmann, cet homme ordinaire dont le langage administratif était le seul langage, qui parlait « des camps de concentration en termes d'"administration" et des camps d'extermination en termes d'"économie" », ainsi que l'a résumé la philosophe allemande[1]. Cet homme prouvait par sa simple existence que les millions de Juifs exterminés pendant la Deuxième Guerre mondiale l'avaient été par des millions de fonctionnaires anonymes. Cela m'a glacé le sang et a inscrit en moi, à jamais, la méfiance à l'égard de la froide machine bureaucratique.

Toutes ces histoires, les unes plus déchirantes que les autres, m'ont amené à renoncer aux grands débats philosophiques pour vivre dans l'instant et faire le chemin en marchant. Elles m'ont fait définitivement rompre avec l'obéissance aux idéologies et ont renforcé ma volonté d'exercer ma liberté en devenant un entrepreneur, à la suite de mon père que j'admirais.

Si je n'ai pas perdu la foi, je l'ai comme mise de côté, après avoir pris conscience qu'au nom de la religion, certains hommes peuvent se perdre loin des fondements de leur croyance et commettre le pire. Voilà aussi pourquoi j'ai toujours trouvé nécessaire la contestation de toute autorité établie, qu'elle soit religieuse ou laïque, sociale ou politique. Ainsi ai-je choisi de chérir la liberté.

Si la liberté est un principe directeur dans ma vie, je ne voulais pas seulement être libre moi-même, mais aussi et surtout libérer les autres, ou plutôt les aider à se libérer. C'est pour cela que je suis devenu un partisan de l'autogestion. Et c'est pour cela que, voyant les partisans de l'autogestion devenir tyranniques et imposer leur modèle, je suis passé à l'auto-organisation. Car il ne suffit pas que les groupes s'autogouvernent. Encore faut-il que les individus s'autogouvernent eux aussi.

---

1. ARENDT Hannah, *Eichmann à Jérusalem, Rapport sur la banalité du mal*, trad. par A. Guérin revue par M. Leibovici, Gallimard, 2002 [1963], p.150

Pour moi, la liberté, c'est la création. L'homme libre, c'est le chercheur, l'artiste, l'entrepreneur. La création est l'expression la plus achevée de la liberté en ce monde. Elle est l'acte par lequel un individu s'arrache à l'existant et fait advenir au monde ce qui n'existe pas encore. Cela suppose de pouvoir se défaire d'habitudes et de schémas de pensée hérités, bien souvent au prix d'un effort considérable.

D'autant que la liberté n'est pas toujours bien vue. Les conservateurs de tous poils y voient une force destructrice de l'ordre établi. Comme l'affirme Edgar Morin, « l'innovation apparaît toujours comme une déviance[1] » et, inversement, « c'est par la déviance et les déviants que les idées nouvelles arrivent.[2] » Il est donc normal que la liberté en effraie certains. La liberté, la création et l'innovation sont par définition des forces imprévisibles. Elles naissent souvent de la rencontre entre deux personnes ou deux idées qui n'auraient normalement pas dû s'unir. Elles sont filles de l'ouverture à l'autre, du dialogue, de l'humilité et de l'empathie. Inversement, il faut souvent qu'il y ait dérogation à la règle pour qu'il y ait innovation.

La liberté ne fait pas de plans, elle procède par coups d'éclat. Et c'est pour cela qu'elle est précieuse. Elle casse les routines et les schémas établis au profit de chemins de traverse ignorés jusqu'ici. La liberté est fondamentale à l'être humain. Elle est comme inscrite dans son ADN. Lorsqu'ils sont libres, les individus peuvent déployer une énergie phénoménale. Au contraire, la personne qui ne se sent pas libre se déresponsabilise. En situation d'échec, elle se place sous l'autorité d'un chef et consacre son temps et son énergie à rejeter les fautes sur les autres plutôt qu'à chercher une solution. Précisément, chercher une solution, c'est être responsable, c'est se saisir

1. MORIN Edgar, *Sociologie*, Paris : Ed. Du Seuil, 1994, p.32
2. MORIN Edgar et NAÏR Sami, *Une politique de civilisation*, Paris : Arléa, 1997, p.16

d'une situation et la soumettre à sa volonté de manière constructive. Ainsi la liberté et la responsabilité vont-elles de pair, comme nous allons le voir dans un instant.

Le risque majeur, à l'heure actuelle, c'est de répondre aux menaces qui nous guettent en recourant à l'autoritarisme. La peur ne doit pas nous pousser à rechercher le patronage rassurant d'un chef à poigne. C'est en nous-mêmes que nous devons trouver les ressources pour affronter les enjeux du XXIe siècle, et non en un leader charismatique qui se révélera probablement n'être qu'un bateleur de foire.

Il existe une croyance axiomatique, aujourd'hui encore solidement ancrée dans les esprits et que Gustave Le Bon a résumé ainsi : « dès qu'un certain nombre d'êtres vivants sont réunis, qu'il s'agisse d'un troupeau d'animaux ou d'une foule d'hommes, ils se placent d'instinct sous l'autorité d'un chef[1] ». Cette croyance est tout simplement fausse. Ce que montre à l'envi l'expérience du Groupe Hervé, c'est que l'exercice du pouvoir n'est pas nécessairement tributaire de l'autorité, de la légitimité ou du charisme d'un chef. Pour un être humain, se placer sous les ordres d'un maître n'est une nécessité ni biologique, ni culturelle, ni historique. Le pouvoir n'est pas forcément la domination, mais il peut être plutôt une force de création. Le pouvoir qui s'exerce au sein du Groupe Hervé est un pouvoir de faire, et non un pouvoir de dominer.

Si j'accorde autant d'importance à la liberté, c'est justement parce que je me méfie des chefs. J'ai toujours considéré la liberté comme un remède aux errements de la puissance et du despotisme. Un dirigeant qui chérit la liberté ne peut pas être un oppresseur. Il tourne sa puissance vers le dehors, vers la découverte, vers la nouveauté. La création, l'ouverture à l'autre et la curiosité font d'un tel dirigeant un éternel débutant. L'invitant à la remise en question, ces dispositions

---

1. LE BON Gustave, *Psychologie des foules*, Paris : Presses universitaires de France, 1991 [1895], p.69, un livre lu avec attention par Hitler et Goebbels.

l'empêchent de s'enfermer dans une posture, dans une fonction ou dans une idéologie.

Le dirigeant libre, plutôt que de vouloir fixer les choses et les gens dans un état stable et dans une vérité immuable, leur donne au contraire sans cesse des opportunités d'évoluer et de s'épanouir. C'est d'autant plus nécessaire dans la nouvelle ère, alors que la notion de vérité perd son statut surplombant et que le monde change à grande vitesse. Le leader moderne doit savoir créer des déséquilibres féconds plutôt que de se poser en garant d'un ordre établi et infrangible. Comme le soulignait le théoricien du management Peter Drucker, l'organisation moderne à besoin d'être déstabilisée, « elle doit être organisée pour le changement perpétuel[1] ». C'est cela, aussi, la liberté : une saine capacité à évoluer et à ne pas rester figé dans le passé.

Nous devons ainsi chercher l'harmonie et le bonheur dans la croissance et la création. Dans « bonheur » il y a « heur », mot de vieux français issu du latin *augeö*, qui signifie « faire croître », « augmenter ». Être heureux, c'est cela : se tourner positivement vers l'avenir.

Liberté et responsabilité

Être libre, c'est obéir à ses propres règles dans le respect des autres et de son environnement. Ce n'est pas agir de manière irrationnelle, erratique ou irresponsable. Au contraire, la liberté va de pair avec la responsabilité. Celui qui n'est pas libre n'est pas responsable, et réciproquement.

Je pense souvent à la distinction que faisait Max Weber entre l'*éthique de la responsabilité* et l'*éthique de la conviction*. Selon lui, « il y a une opposition abyssale entre l'attitude

1. DRUCKER Peter F., "The New Society of Organizations," *Harvard Business Review*, September-October 1992, Vol. 70, Issue 5, pp.95-105, p.96

de celui qui agit selon les maximes de l'éthique de conviction – dans un langage religieux nous dirions : "Le chrétien fait son devoir et en ce qui concerne le résultat de l'action il s'en remet à Dieu", – et l'attitude de celui qui agit selon l'éthique de responsabilité qui dit : "Nous devons répondre des conséquences prévisibles de nos actes." » Lorsque les conséquences de ses actes sont fâcheuses, continue Weber, le partisan de l'éthique de la conviction « n'attribuera pas la responsabilité à l'agent, mais au monde, à la sottise des hommes ou encore à la volonté de Dieu qui a créé les hommes ainsi. Au contraire le partisan de l'éthique de la responsabilité comptera justement avec les défaillances communes de l'homme [...] et, il estimera ne pas pouvoir se décharger sur les autres des conséquences de sa propre action pour autant qu'il ait pu les prévoir[1]. »

L'éthique de la conviction est une morale de l'obéissance et de la bonne conscience. Elle relève de la rationalité instrumentale et de ce que Kant appelait l'« impératif catégorique » (obligation s'imposant quelles que soient les circonstances). C'est elle qui engendre la déontologie etles codes de conduite. Strict opposé de la liberté, elle représente l'obéissance aveugle.

Selon l'éthique de la responsabilité, à l'inverse, la dimension éthique d'un acte n'est pas seulement dans l'acte lui-même et dans ses intentions, mais aussi dans son contexte et ses conséquences. Cette éthique relève de l'impératif hypothétique. Autrement dit, elle s'impose selon certaines circonstances. Plutôt que de considérer par exemple qu'il ne faut *jamais* mentir, le partisan de l'éthique de la responsabilité sait qu'il peut y avoir des situations où il faut mentir, comme l'ont fait les Justes qui cachaient des Juifs chez eux pendant la Deuxième Guerre mondiale. Dans

1. WEBER Max, *Le Savant et le politique*, trad. J. Freund, Paris : Plon, 10/18, 1979 [1919], pp.172-173

cette perspective, ce n'est pas parce que je ne mens pas que je suis vertueux, mais parce que mes actes ont des effets bénéfiques, quand bien même cela doit m'amener à mentir.

J'ai découvert plus tard une opposition similaire chez Bergson, qui oppose deux types de morale : une *moraleclose* (ou statique) et une *moraleouverte* (ou dynamique) :« Il y a une morale statique, écrit-il, qui existe en fait et à un moment donné, dans une société donnée, elle s'est fixée dans les mœurs, les idées, les institutions ; son caractère obligatoire se ramène, en dernière analyse à l'exigence, par la nature, de la vie en commun. Il y a d'autre part une morale dynamique, qui est élan, et qui se rattache à la vie en général, créatrice de la nature qui a créé l'exigence sociale.[1] »

Une morale close est faite d'interdits et d'obligations quasi mécaniques. Expression de la pression sociale, elle adopte comme modèle du bonheur celui de la fourmi dans la fourmilière. Une morale ouverte est au contraire une morale de l'action et une morale en situation.

Les communautés fermées réclament de leurs membres une stricte obéissance à des règles souvent statiques et rigides. Ces membres agissent selon l'éthique de la conviction wébérienne. Cette morale de l'obéissance et de la bonne conscience relève de l'*impératif catégorique* (obligation s'imposant quelles que soient les circonstances). La plupart des sociétés primitives sont des communautés fermées.

Bien évidemment, la plupart des communautés sont à la fois fermées et ouvertes, mais il est utile de garder en tête ces deux pôles quand on réfléchit à la liberté. Typiquement, lorsque je visite une entreprise, je me demande si j'ai devant moi une communauté plutôt ouverte ou plutôt fermée, et si ses membres ont l'air d'obéir à une éthique de la responsabilité ou à une éthique de la conviction. Ces deux pôles

---

1. BERGSON Henri, *Deux sources de la morale et de la religion*, Paris : Presses universitaires de France, 1932, p.286

opposés constituent ainsi des mètres étalons que j'utilise quotidiennement.

De nos jours, nos sociétés peuvent se fermer sur elles-mêmes en se recroquevillant sur leur passé ou autour d'un monarque, comme nous l'avons vu, mais aussi en multipliant les réglementations politiques, juridiques, techniques et économiques. Une telle inflation normative est une entreprise à double tranchant. Si ces cadres peuvent expliciter les valeurs et les projets déterminant les comportements individuels et permettre une meilleure visibilité et lisibilité des démarches et des résultats, ils ne codifient que ce qui est connu et sont peu adaptés aux situations évoluant rapidement. Comme on dit dans l'armée, le droit de la guerre est toujours en retard d'une guerre.

Ces cadres normatifs courent également le risque de placer les individus dans une perspective technicienne et quantitative et de les exempter de toute interrogation sur le sens de leurs actes. Nos sociétés étant aujourd'hui largement basées sur le travail et la technique, la *compétence* en est devenue une valeur centrale. Cependant la professionnalisation, la spécialisation, l'insistance sur l'expertise et l'obligation de résultats peuvent conduire à agir selon de simples calculs d'efficacité et à réduire toute relation aux autres à des investissements (*inputs*) en vue de résultats (*outputs*). La parcellisation des tâches et des responsabilités résultant de la spécialisation croissante des métiers peut tendre à enfermer chacun dans un cadre spécifique et à favoriser les approches purement instrumentales et fonctionnelles. La technicisation, de manière similaire, peut faire oublier qu'un savoir-faire doit s'accompagner d'un savoir-être. On risque alors de perdre en humanité ce que l'on gagne en efficacité, et de prendre l'homme comme moyen et valeur relative, et non comme fin et valeur absolue.

C'est exactement ce qui est arrivé à Eichmann : aveugle aux conséquences de ses actes, il ne faisait plus qu'appliquer des ordres, des consignes, des plans. Les convois ferroviaires dont il organisait la logistique auraient pu transporter des petits pois ou des chaussettes, cela ne faisait aucune différence à ses yeux. Il était payé pour faire quelque chose et il le faisait, point.

C'est pourquoi, au lieu de multiplier les cadres normatifs et les contraintes, j'ai toujours jugé préférable de responsabiliser les individus. Toute ma vie, j'ai refusé de bâtir des groupes fermés faits de petits soldats recroquevillés sur eux-mêmes, sur leur passé et sur leurs règles, pour imaginer au contraire des communautés ouvertes dont les membres sont des acteurs responsables. Au simple respect du droit, j'ai toujours préféré l'intériorisation de devoirs. Au contrôle, j'ai substitué l'autocontrôle et la responsabilité. À la morale, j'ai préféré l'*éthique*.

Le terme éthique vient du grec *ethos*, qui signifie « manière d'être », « habitude ». L'éthique renvoie à un sentiment naturel, spontané, subjectif et intérieur, qui est moins l'empathie (faculté de s'identifier à quelqu'un, de ressentir ce qu'il ressent), que l'*ouverture* (faculté de comprendre quelqu'un et de l'impliquer dans mon action). Il s'agit d'un instrument d'auto-réglementation, à la différence de la morale et du droit qui sont des contraintes exercées de l'extérieur.

L'éthique est un outil de questionnement et non un catalogue de réponses. Elle permet notamment d'interroger la justesse de mon rapport à autrui. On peut avancer que l'éthique est d'origine biologique. Elle serait l'expression de l'instinct de survie de l'espèce et du sentiment d'appartenance à l'humanité. En ce sens, l'éthique est universelle et non pas propre à un groupe.

Attention, toutefois, car l'éthique de la responsabilité a aussi ses limites. Elle peut par exemple mener à l'*individualisme*, c'est-à-dire au rejet des normes communautaires et à la préférence pour les droits individuels au détriment des droits collectifs. L'autonomie va dans ce cas jusqu'à la désobéissance civile permanente. Il faut donc trouver un point d'équilibre entre la liberté individuelle et la liberté collective. Cette dernière est le fruit de la concertation. Elle prend généralement la forme de règles co-construites par le groupe et acceptées quasi-unanimement. Cette liberté collective est le maillon intermédiaire permettant de tenir ensemble liberté individuelle et fraternité.

L'éthique de la responsabilité court également le risque de l'opportunisme, c'est-à-dire de voir les acteurs changer de référentiel comme de chemise ou de ne pas les respecter. Les codes d'éthique et les standards ISO par exemple, ne reposant sur aucun système de contrainte et de sanction mais sur la bonne foi et le volontarisme, sont assez peu respectés.

Attention, également, à ne pas se croire immodérément libre. De fait, si l'on y réfléchit ne serait-ce que dix secondes, il apparaît évident que nous ne sommes jamais libres. Nous naissons déterminés, situés spatialement et historiquement, soumis à des lois physiques et juridiques, enveloppés dans une culture, enchâssés dans des groupes, etc., et c'est heureux si nous parvenons à conquérir, au terme de longs efforts, quelque liberté. Invoquer la liberté comme une donnée de l'existence, c'est faire le lit des déterminismes. Comme disait Henri Laborit, « ce que l'on peut appeler "liberté", si vraiment nous tenons à conserver ce terme, c'est l'indépendance très relative que l'homme peut acquérir en découvrant, partiellement et progressivement, les lois du déterminisme universel.[1] »

Cela ne signifie donc pas que nous devions renoncer à la liberté, ce qui signifierait renoncer aussi à la responsabilité, au libre-arbitre, au mérite et à la reconnaissance sociale. Pour choisir librement, nous devons simplement être conscients des motifs qui sous-tendent nos choix. Ces

1. LABORIT Henri, *Éloge de la fuite*, Paris : Gallimard, 1985, p.74

motifs ne sont pas mauvais en eux-mêmes, et ils sont de toute façon inévitables. Ainsi que Konrad Lorenz le confiait à Karl Popper, « une structure n'acquiert sa capacité de soutien qu'au prix du sacrifice d'un certain degré de liberté. Un ver peut se tordre dans tous les sens, nous ne pouvons au contraire nous plier qu'aux endroits où sont prévues des articulations ; mais nous nous tenons debout, alors que le ver en est incapable.[1] » Regardez les expériences littéraires de l'Oulipo : c'est en se fixant toutes sortes de contraintes que les Oulipiens parviennent à créer des textes de toute beauté. Georges Perec a même réussi à écrire tout un livre sans utiliser une seule fois la lettre « e » !

L'autonomie n'est pas l'absence de règles. Le monde a besoin de règles, j'en ai toujours été convaincu. En mai 68, je me suis retrouvé entre l'anarchiste Daniel Cohn-Bendit et le maoïste Alain Geismar. Et laissez-moi vous dire que ni l'un ni l'autre ne m'ont fait vraiment envie ! Ainsi, alors que je me sentais profondément révolutionnaire, n'ai-je été ni maoïste ni anarchiste, parce que je pensais déjà qu'un monde sans règles était voué à dépérir.

J'ai découvert par la suite, à la tête de mon entreprise et dans mes diverses fonctions politiques, qu'il n'y a pas de coopération sans règles, de même qu'il n'y a pas de jeu sans règles – j'en sais quelque chose, pour avoir été Président des ludothèques de France. Sinon, c'est l'anarchie la plus complète et la plus stérile. Chacun s'agite seul dans son coin, et tout le monde finit vite par s'ennuyer. Il faut ainsi trouver un équilibre entre le trop-plein de règles, qui rend la coopération fastidieuse et complexe, et l'absence de règles, qui la rend tout bonnement impossible.

Chaque être est unique, si l'on me permet ce truisme. Nous sommes tous différents. Jaloux de notre spécificité,

1. POPPER Karl et LORENZ Konrad, *L'Avenir est ouvert : entretien d'Altenberg : textes du Symposium Popper à Vienne*, Paris : Flammarion, 1990 [1983], pp.29-30

nous détestons que l'on nous réduise à un exemplaire parmi d'autres. Je suis profondément attaché à cet idéal d'authenticité, selon lequel chaque être humain doit trouver sa manière d'être, plutôt que d'imiter celles des autres. Précisément, chacun doit être, j'en suis convaincu, sincère envers lui-même et fidèle à son originalité. C'est ainsi que chacun trouve son équilibre intérieur et son identité propre. Et c'est ainsi, finalement, qu'il se réalise.

La liberté a quelque chose de solitaire. Le geste créateur, de même, est souvent un geste isolé. Prenez par exemple Wikipédia. Les articles de cette encyclopédie coopérative en ligne semblent avoir été écrits collectivement, mais ce n'est pas le cas. Ce qui est collectif, c'est la discussion autour d'un article proposé par un auteur bien précis. Aucun article ne peut être écrit, phrase après phrase, de manière collaborative. C'est la relecture, la réécriture et la correction qui constituent un travail collectif. Il faut, avant toute chose, le geste créateur d'un individu, seul et original.

C'est parce que ce geste créateur tranche avec son contexte qu'il est souvent rejeté, ou du moins qu'il n'est pas accepté spontanément. Schopenhauer disait ainsi : « Toute vérité passe par trois stades : en premier lieu on la ridiculise, en deuxième lieu on s'y oppose violemment, enfin on l'accepte comme si elle allait de soi ». On retrouve là ce que disait Edgar Morin : la liberté a quelque chose à voir avec la déviance et avec la diversité, et c'est ce qui en fait un bien si précieux.

Ce geste créateur, toutefois, ne vaut rien s'il reste un geste isolé et ne parvient pas à dépasser le stade du ridicule ou du scepticisme. Pour pleinement se déployer, la liberté doit faire sens en dehors de celui qui la porte. Autrement dit, la liberté n'est rien sans fraternité, sinon un feu de paille ou un coup d'éclat sans lendemain.

5.
Fraternité

L'être humain, être social

L'être humain est un animal social. Il échange, coopère et communique intensément. Les sociétés primitives, avons-nous vu, sont des communautés fortement unies. Le groupe y exerce sur les individus une pression de tous les instants. Nous-mêmes, des millénaires plus tard, nous restons les enfants de notre société. C'est notre environnement social et matériel qui détermine notre langage, nos manières de faire et de penser, nos habitudes, nos croyances et nos désirs. Par bien des manières, qu'on le veuille ou non, nous sommes semblables à des fourmis dans une fourmilière.

Laissez-moi vous raconter une expérience fascinante qu'a menée le psychologue américain Ritch Savin-Williams[1]. Il a commencé par observer le comportement de jeunes garçons dans une colonie de vacances. Dans l'heure qui suit leur rencontre, a-t-il noté, ces garçons jaugent mutuellement leurs forces et leurs faiblesses, se découvrent, et des groupes peu à peu se forment par affinités. Dans chaque groupe, on

---

1. SAVIN-WILLIAMS Ritch, *Adolescence: An Ethological Perspective*, New York: Springer-Verlag, 1987

trouve bientôt un « mâle dominant », un « comique », un « souffre-douleur », un « intello » et un « pataud nul en sport ». Puis notre psychologue a fait l'expérience suivante : il a pris les « mâles dominants » des différents groupes et les a réunis dans un groupe à part entière, et de même il a réuni tous les « comiques », tous les « intellos », etc. Et qu'a-t-il observé ? Que chaque nouveau groupe a bientôt montré la même répartition des rôles. Ainsi, un individu qui était un « mâle dominant » dans son premier groupe est devenu un « souffre-douleur » dans le second, un « comique » est devenu un « souffre-douleur », un « pataud nul en sport » est devenu un « mâle dominant », etc. Comme si ces groupes obéissaient à la même division fonctionnelle que ceux des fourmis.

Le conformisme est une donnée de fait de l'existence. Au quotidien, nous nous conformons d'autant mieux avec nos groupes d'appartenance que nous avons peur, que notre tâche est ardue, que nous estimons occuper un rang social subalterne ou que nous sommes peu sûrs de nous. Nous nous conformons aussi pour éviter un conflit dont nous ne pensons pas sortir vainqueurs. Pour toutes les questions un tant soit peu difficiles, nous nous en remettons généralement aux autres pour savoir quoi penser. Quand nous surfons sur Internet, nous consultons généralement les contenus déjà les plus consultés ou les premiers résultats affichés. De manière générale, nous nous fions souvent moins à notre opinion personnelle qu'à celle des autres. En ce sens, plus une tendance est partagée et plus elle a de chance d'être partagée davantage.

Nous vivons aujourd'hui dans des sociétés de masse. Alors que la population mondiale a été multipliée par quatre de l'an 1000 à 1800, elle a été multipliée par sept entre 1800 et 2011, bondissant d'un milliard à sept milliards. Nous produisons et consommons désormais de manière massive et planétaire. Notre vie se passe à une échelle globale et dans des villes gigantesques, où tout se compte en millions. Pour beaucoup d'entre nous, cela peut être écrasant. Le monde peut ainsi sembler trop grand pour être concret. Que l'on soit un chasseur-cueilleur aborigène ou un new-yorkais moderne, la principale dimension où se construit du respect humain c'est toujours le petit groupe d'une vingtaine de personnes tout au plus, comme nous le verrons bientôt. Tout le reste devient vite abstraction.

Dans le même temps, nous vivons dans des ensembles communautaires de plus en plus éclatés. Le XXe siècle a, dans une large mesure, brisé ce qui faisait notre unité. Comme je le remarquais plus haut, l'égocentrisme n'a cessé de rogner ce qui cimentait le collectif.

Afin d'entrer pleinement dans la nouvelle ère, la tâche qui nous incombe est de créer des lieux intermédiaires qui lient, de manière constructive, tous les individus et tous les groupes restreints auxquels ils appartiennent en un réseau à taille humaine, et non en une pyramide autoritaire. Nous y reviendrons, mais retenons pour l'heure que ces liens existent souvent déjà, tant le local est relié au global de mille manières. Il faut entretenir et renforcer ces liens en même temps que nous en nouons d'autres. Il faut nous rappeler sans cesse que, même si nous chérissons notre autonomie et notre singularité, nous aimons être en groupe. Nous aimons partager. Nous ne pouvons vivre sans échanger, sans dialoguer, sans aimer.

L'autre tâche qui nous incombe, c'est de renouer avec la fraternité des sociétés tribales sans renier nos différences. Nous devons nous souvenir que nous sommes des animaux dont la survie dépend de notre harmonie avec la nature, avec les autres et avec nous-mêmes. Mais nous ne devons pas oublier que nous sommes tous singuliers et que nous aspirons tous à la liberté. Tel est l'un des principaux défis de la nouvelle ère : créer de la fraternité sans renoncer à notre liberté, et créer du commun sans céder ce qui fait notre diversité.

Préserver la diversité

Nous ne devons pas oublier que nous sommes des sociétés métissées, faites d'une infinité de mélanges, et ce depuis nos origines. Comme l'avait constaté Hannah Arendt, « la politique repose sur un fait : la pluralité humaine.[1] ». Autrement dit, la politique est la manière dont des êtres différents font communauté. Et comme je le dis toujours, cette diversité n'est pas un risque. Elle est au contraire une chance.

Les États-Unis d'hier et d'aujourd'hui en sont le meilleur exemple. Ce peuple d'immigrés, constitué à l'origine de dizaines de communautés venues des quatre coins de l'Europe, est devenu en quatre siècles la première puissance mondiale, la plus innovante et la plus dynamique. À cet égard, j'aime bien relire de temps en temps ce passage écrit il y a quatre-vingts ans par un sociologue américain, qui me fait à la fois rire et beaucoup réfléchir. Il vaut la peine d'être cité dans sa longueur :

> Le citoyen américain se réveille dans un lit construit sur un modèle venu du Proche-Orient et modifié en Europe du Nord avant d'être transmis à l'Amérique. Il rejette des couvertures de coton, cultivé en Inde, ou de lin, cultivé dans le Proche-Orient, ou de laine venant de moutons domestiqués au Proche-Orient, ou de soie, dont on découvrit l'usage en Chine. Chacun de ces matériaux a été filé et tissé par des procédés inventés au Proche-Orient. Il enfile ses pantoufles, inventées par les Indiens des forêts de l'Est et se dirige vers la salle de bains, dont les appareils sont un mélange d'inventions européennes et américaines, toutes de date récente. Il ôte son pyjama, vêtement inventé en Inde, et se lave avec du savon, inventé par les anciens

1. ARENDT, « Qu'est-ce que la politique ? », in ARENDT Hannah, *Qu'est-ce que la politique ?*, texte établi par U. Ludz, trad. de l'allemand par S. Courtine-Denamy, Paris : Seuil, 1995 [1993], pp.39-43, p.39

> Gaulois. Il se rase ensuite, rite masochiste qui semble être venu soit de Sumer, soit de l'ancienne Égypte.
> [...]
> Après son repas, il se dispose à fumer, habitude des Indiens américains, en brûlant une plante cultivée au Brésil, soit dans une pipe, venue des Indiens de Virginie, soit dans une cigarette, venue du Mexique. S'il est assez endurci, il peut même essayer un cigare, qui nous est venu des Antilles en passant par l'Espagne. Tout en fumant, il lit les nouvelles du jour imprimées en caractères inventés par les anciens Sémites, sur un matériau inventé en Chine, par un procédé inventé en Allemagne. En dévorant les comptes rendus des troubles extérieurs, s'il est un bon citoyen conservateur, il remerciera un dieu hébreu, dans un langage indo-européen, d'avoir fait de lui un Américain cent pour cent[1].

Si les États-Unis sont un exemple des réussites du métissage, ils offrent aussi le spectacle d'une société où l'exacerbation des libertés mine l'égalité. C'est quelque chose que ma vie d'entrepreneur m'a appris très tôt : la compétition crée généralement des situations de domination et d'opposition. La concurrence, dans cette perspective, n'est autre chose que la guerre. Et il suffit de regarder le fonctionnement de la société américaine pour voir les ravages que peut provoquer la concurrence à tout crin.

L'entreprise, qui est une formidable force compétitive, peut avoir besoin d'être tempérée par l'État, qui est à son meilleur lorsqu'il est un catalyseur de coopération. L'État, davantage projeté dans le long terme, peut permettre à l'entreprise de se libérer du temps court de la concurrence. Si l'entreprise favorise la singularité en promouvant la liberté, les pouvoirs publics favorisent le commun en promouvant

1. LINTON Ralph, *De l'Homme*, trad. et présentation d'Y. Delsaut, Paris : Minuit, 1968 [1936], pp.356-358

l'égalité. Ces deux institutions sont donc hautement complémentaires.

Au niveau du groupe, plutôt que de créer des conflits artificiels et de la domination, il convient de susciter de la coopération, coopération qui induit à son tour de la fraternité. Il faut être dans le dépassement de soi, pas dans le dépassement de l'autre. Le groupe, ce doit être une force d'affirmation de soi et d'ouverture d'opportunités, et non une puissance opprimante demandant, à chacun de ses membres, obéissance et conformité. On retrouve ici la distinction forgée par Bergson entre communautés ouvertes et communautés fermées. La communauté fermée se bâtit par rejet de la différence et interdiction de la désobéissance. Les communautés ouvertes qu'il nous faut créer et soutenir doivent au contraire susciter de la fraternité en stimulant la liberté et la singularité de chacun. L'association de différences doit permettre au groupe et à ses membres d'être plus forts et plus créatifs.

C'est une loi que j'ai observée tout au long de ma vie : plus on est différent de l'autre, plus on recherche ce que l'on a de commun avec lui. La diversité n'est donc pas un frein à la communauté, comme on l'entend parfois. C'est vrai pour les communautés fermées, qui recherchent l'homogénéité et le conformisme. Mais l'inverse est vrai dans les communautés ouvertes. Voyons pourquoi.

En groupe, nous cherchons spontanément ce que nous partageons. Nous cherchons avec nos semblables un dénominateur commun. C'est typiquement le cas quand nous voyageons à l'étranger, où nous avons tendance à surinterpréter les signes d'appartenance commune et à nous sentir familiers avec quelqu'un du seul fait qu'il parle notre langue. Pareillement, si vous mettez ensemble des personnes d'obédiences religieuses différentes, il y a de fortes chances qu'elles cherchent ce qu'il y a de commun entre leurs religions. Introduire de la diversité est ainsi un moyen de réaffirmer une appartenance commune.

La psychologie sociale a bien montré par exemple que la plupart des échanges verbaux entre membres d'un même groupe visent à réaffirmer un sol commun et une communauté d'appartenance, plutôt qu'à échanger des informations. Dans les discussions, on privilégie ainsi les sujets les mieux partagés, que les médias aiment généralement mettre en scène et faire connaître à tous, tels que la politique, les scandales de grande ampleur ou les potins sur les célébrités. La connaissance de la météo étant la chose la mieux partagée du monde, elle est un sujet de discussion de choix quand on rencontre un inconnu ou que l'on se retrouve à plusieurs. Des psychologues ont même observé que les groupes de gens peu intimes tendent à conjurer les sujets de discussion clivants.

Les groupes restreints, ne comptant guère plus de *quinze* ou *vingt* membres, tels que la famille ou l'équipe de travail, sont les unités naturelles de la société. C'est là que s'accomplit le gros du travail qui assure la survie de nos sociétés. Même dans des sociétés globalisées comme les nôtres, ces petits groupes restent le cœur de la vie sociale. Ils sont les intermédiaires indispensables entre les individus et le collectif. Ils sont des sortes de filtres et d'instruments à la lumière desquels nous comprenons le monde et agissons sur lui. Au-delà de vingt personnes, l'anonymat s'installe. Il devient plus difficile de bien connaître tout le monde et de déceler les signaux faibles que chacun émet.

Nous ne devrions pas nous lamenter d'être sujets aux influences de la société. C'est bien souvent parce que ces influences pèsent sur nous que nous nous comportons de manière civilisée. La plupart du temps, comme le souligne le psychologue Cass Sunstein, « les gens font mieux quand ils prennent hautement en considération ce que font les autres[1]. »

---

1. SUNSTEIN Cass R., *Why Societies Need Dissent*, Cambridge, Mass.: Harvard University Press, 2003, p.12

Se rassembler est indispensable, tant on ne fait rien sans unir ses forces avec d'autres. Mais il faut cependant se méfier de l'unanimisme. Si l'union est une bonne chose, la fusion est dangereuse. C'est pourquoi j'ai toujours été soucieux, tout au long de ma vie, de favoriser la dissonance au sein des groupes. Je suis en effet persuadé qu'une assemblée de semblables doit toujours chercher et accueillir la différence. D'autant que plus un groupe est homogène et moins il devrait craindre de s'ouvrir à un élément étranger.

Trop souvent, on veut construire l'unité en rejetant le dissemblable, le nouveau, l'étranger. Faire groupe, c'est tout autre chose que de créer de l'homogénéité. Le principe du groupe, c'est l'harmonie, l'équilibre, et non pas la similitude, la frontière ou la clôture sur soi.

Bien au contraire, l'unanimisme peut mettre en danger le groupe en le rendant aveugle à certains éléments de son environnement ou à certains de ses problèmes et en le focalisant sur ce qui constitue son noyau. Comme l'a montré Sunstein, les divergences potentielles s'estompent au sein de groupes relativement homogènes. « Quand des individus partageant les mêmes idées se réunissent pour discuter, chacun d'eux ressort du débat avec une version plus radicale de ses idées. [...] la corroboration favorise la confiance, qui à son tour favorise la radicalité[1] ». Sunstein montre par exemple que les entreprises réalisent de meilleures performances lorsque leurs conseils d'administration sont très divers et même conflictuels.

Quand les membres d'un groupe sont trop semblables, le catalyseur doit susciter de la diversité, en invitant par exemple une personne extérieure ou en emmenant les membres du groupe « en voyage ». C'est ce que fait par exemple, à son échelle individuelle, un peintre que j'aime

1. SUNSTEIN Cass R., *Anatomie de la rumeur*, traduit de l'anglais par P. Hersant, Genève : Éd. M. Haller, 2012 [2009], p.33 et p.81

bien et dont j'ai plusieurs toiles chez moi : Richard Texier. Plutôt que de se replier sur son savoir-faire et sur son œuvre accomplie, il passe la moitié de l'année avec d'autres artistes aux quatre coins du monde, que ce soit au Japon, en Birmanie, en Espagne, aux États-Unis ou ailleurs. Il se nourrit ainsi de la diversité des autres et se comprend mieux lui-même à travers le regard de ces autres très différents de lui. Je trouve cette démarche extrêmement salutaire, et je ne manque jamais moi-même une occasion de rencontrer des homologues étrangers.

L'histoire peut être également une source d'altérité. Le danger, aujourd'hui, c'est de nous recroqueviller sur notre passé commun, par crainte de l'avenir. Au contraire, nous devons utiliser le passé comme une source d'altérité et de diversité. Si j'ai commencé ce livre en parlant des sociétés tribales, ce n'est pas par exotisme, mais parce que nous devons faire nôtre cette altérité, nous en inspirer et en faire une source de créativité et de diversité. L'histoire n'est pas faite pour prendre la poussière sur les rayonnages de nos bibliothèques ou les piédestaux de nos musées ; elle doit être au contraire un levier de transformation de soi et des autres.

Il ne faut pas avoir peur de l'autre. Et il ne faut pas non plus avoir peur du conflit. On peut adhérer à des normes contradictoires. N'ayons pas peur d'être différents, ni même de nous opposer à la norme dominante. Au contraire, le conflit permet à chacun de jauger ses différences et de se positionner par rapport aux autres. De toute façon, bien que l'ajustement des individus au tout social ne soit jamais parfait, ni total, ni naturel, il finit toujours par exister bel et bien. Regardons autour de nous : le conflit est souvent marginal au sein des groupes. Il y a bien des désaccords, mais dans l'ensemble les communautés humaines assurent la paix en leur sein.

Il ne s'agit pas non plus d'être dans l'affrontement perpétuel ou de créer des conflits là où il n'y en a pas. L'important n'est pas d'être en conflit, mais de débattre, de faire conversation et non pas communication. On n'entre pas en conflit pour le gagner, mais pour le dépasser. Il faut avoir raison avec l'autre, et non contre lui. La coopération au sein d'un groupe doit être ainsi conquise grâce aux conflits plutôt qu'en les évitant. Comme je le dis souvent à mes collaborateurs, il faut savoir multiplier les micro-conflits pour atteindre une macro-stabilité.

J'ai toujours été soucieux de préserver les différences. Dès l'enfance, j'ai été effrayé par les mouvements de masse, les grandes idéologies uniformisantes et le conformisme militaire. Pour moi, il était clair que la plupart des maux survenus au cours de l'histoire n'étaient pas attribuables à la nature humaine, que d'aucuns veulent croire intrinsèquement mauvaise, mais à des débordements collectifs. On peut dire, en ce sens, que je suis rousseauiste. Pour moi, l'homme est fondamentalement bon, et c'est l'influence néfaste d'une mauvaise éducation ou de groupes mortifères qui peut l'amener à commettre le pire. Eichmann n'était-il pas, d'ailleurs, dans le privé, un père aimant et doux, comme l'a rappelé Arendt au grand scandale de ceux qui voulaient ne voir en lui que l'incarnation du diable. Seulement, cet homme a été pris dans une grande machine bureaucratique qui l'a réduit à l'état d'exécutant sans volonté, fondu dans la masse et irresponsable, avec les conséquences effroyables que l'on sait.

C'est par la différence et la diversité que l'on doit créer du commun, par un effet de viralité qui rassemble les individus autour de ce qu'ils partagent, sans pour autant leur faire renier ce qui les distingue. Un groupe, pour moi, c'est ça : se nourrir de ses différences pour construire de la fraternité. C'est toujours ainsi que j'ai abordé mon rôle de meneur d'hommes et de femmes.

Laissez-moi vous raconter ce que cela a donné à l'échelle de la petite ville dont j'ai eu la chance d'être maire pendant vingt-deux ans : Parthenay. C'est une ville en milieu rural, et comme dans toutes les campagnes, on y cherche avant tout l'uniformité. Gare à celui qui sort du lot ! Durant ma première campagne électorale cantonale, par exemple, des agriculteurs sont venus pour m'écouter en catimini, sur la pointe des pieds, se sachant minoritaires dans leur village. Ils n'osaient pas s'exprimer, habitués qu'ils étaient à taire leurs différends de peur de perdre le bail que leur octroyait autrefois le seigneur du cru. Même si la société féodale est terminée depuis belle lurette, ils continuaient à perpétuer des comportements de soumission et de conformité.

Seulement à Parthenay, comme dans mon entreprise, j'étais convaincu au contraire que nous devions fonder notre unité sur la diversité, comme l'exprime la devise de l'Union européenne : *Unitas in diversitas*. La question étant : comment faire ?

J'ai d'abord eu l'idée des jumelages. Comme beaucoup de Parthenaisiens restaient farouchement anti-Allemands, je me suis dit que c'était en Allemagne qu'il fallait aller chercher une altérité constructive. J'ai donc eu l'idée de jumeler Parthenay avec Weinstadt, une ville sise non loin de Stuttgart, dont le maire était un homme très chaleureux et très ouvert.

Soucieux de ne pas brusquer les plus réfractaires, qui étaient souvent des personnes assez âgées, nous avons construit notre jumelage en nous appuyant sur les plus jeunes. Ceux-ci s'intéressant à la musique, c'est autour de cette pratique artistique que nous avons pensé le jumelage. Et qu'avons-nous constaté ultérieurement? Eh bien que le jumelage créait d'abord du lien entre Parthenaisiens, parce qu'ils allaient ensemble en Allemagne en car, passaient du temps les uns avec les autres, mais aussi et surtout, parce qu'ils se découvraient, face à d'autres, une identité commune.

Puis nous avons construit un jumelage en Espagne, avec une autre ville vinicole, Arnedo, et nos amis allemands sont allés là-bas eux aussi, et cela a renforcé les liens des habitants de chaque ville entre eux et avec les autres. Je me suis alors dit que nous devrions également nous jumeler avec une ville non-européenne, et nous sommes alors allés à Tsévié, au Togo, où est née l'idée d'un festival des jeux.

C'est en effet au cours d'un voyage au Togo que nous avons été surpris, mes concitoyens et moi, de voir les gens jouer dans la rue. En France, le jeu est une pratique domestique et privée, à laquelle on s'adonne généralement à l'abri des regards. L'espace public est un espace où l'on travaille, en vertu des représentations aristocratiques qui continuent à prévaloir et selon lesquels l'oisiveté et le divertissement sont des vices. C'est ainsi au Togo que j'ai pleinement pris conscience que la vie n'est pas seulement travail, mais qu'elle est aussi jeu.

Fort de cet enseignement, j'ai lancé le Festival ludique international de Parthenay en 1986. C'était contraire à l'histoire de la ville, mais cela a très bien marché parce que ça a réuni les gens. Là encore, cela les a poussés à se demander : qu'est-ce qui nous rassemble, qu'est-ce que l'on a en commun, et qu'est-ce qui nous différencie aussi ?

Mon opposition municipale s'est appuyée sur ce festival de jeux pour décrier mon action, qu'elle a présentée comme contraire à l'histoire de la ville. Certes, le festival ne remonte pas à l'an mil, et alors ? Pourquoi s'emprisonner dans son passé ? Le rejet de cette belle initiative – qui a survécu jusqu'à nos jours fort heureusement et fête cette année son trentième anniversaire[1] – m'a fait beaucoup de peine, mais je n'ai pas été surpris : je sais comment la nouveauté peut être perçue comme une déviance et susciter des réflexes de repli. En l'occurrence, mon opposition était dans la conservation rétrograde, recroquevillée sur son passé rassurant, effrayée par l'avenir.

---

1. Voir le site du festival : www.jeux-festival.com

C'est un comportement que j'ai vu toute ma vie, à chaque fois que j'ai injecté de la diversité dans un tout très homogène : beaucoup accueillent ce métissage avec joie, comme une opportunité de découverte et d'échange, mais certains le voient au contraire comme une menace pour leur intégrité. De nos jours, c'est principalement l'immigration qui suscite chez nos compatriotes ces deux réactions antithétiques. Et c'est sur les peurs qu'elle suscite que fleurit le champignon vénéneux de l'extrême droite.

À Parthenay, en cherchant d'autres exemples d'altérités, j'ai remarqué comme les handicapés étaient souvent considérés par les autres comme des citoyens différents.

C'est ainsi que m'est venue l'idée de mettre cette différence au cœur de la communauté. Nous avons commencé modestement en aménageant les trottoirs en centre-ville, autant pour faciliter la circulation des personnes à mobilité réduite que pour rendre visible leur différence aux yeux de ceux qui ne voulaient pas les voir. Puis nous leur avons aménagés des rues piétonnes, des accès aux bâtiments publics, réservés des places aux spectacles, élaborés des loisirs adaptés. Nous avons créé un centre de recherche de matériels pour eux et un centre d'exposition permanente qui faisait venir des visiteurs de toute la France et qui victime de son succès a amené à une décentralisation dans chaque région. Si bien que Parthenay est devenue une ville-modèle en matière d'accueil des handicapés. De même, nous avons proposé aux handicapés mentaux de faire du théâtre, pour découvrir avec étonnement leurs extraordinaires capacités émotionnelles, dignes des plus grands acteurs de la Comédie-Française.

Ce que ces expériences m'ont fait comprendre, c'est le pouvoir de l'altérité et de l'ouverture à l'autre. Souvent, dans ces situations, celui qui se croit supérieur à l'autre se rend compte qu'il reçoit davantage qu'il ne donne. Comme me disait un ami, Hamou Bouakkaz, ancien adjoint de Bertrand Delanoë à la mairie de Paris et aveugle de naissance : « Les gens qui m'aident à traverser la rue, je les aide à traverser la vie. » Ce qu'il voulait dire par là, c'est que les gens qui l'aident se sentent utiles. Ils se trouvent une véritable utilité sociale et, en même temps, ils se rendent compte de leur singularité et de leur chance d'être valides. C'est une magnifique leçon de vie.

6.
Égalité

Égalité et équité

L'égalité est le troisième principe cardinal autour duquel s'articule la nouvelle ère, et peut-être le plus délicat à comprendre. Car l'égalité est souvent associée à l'uniformité. Seuls seraient véritablement égaux ceux qui seraient véritablement semblables. Comme nous allons le voir, c'est parfaitement faux.

J'aime beaucoup cette image où l'on voit un professeur, assis derrière son bureau, s'adresser à une rangée d'animaux qui se tiennent dos à un arbre. Il y a là un oiseau, un singe, un pingouin, un éléphant, un poisson rouge dans un bocal, un phoque et un chien. Et le professeur leur annonce: « Pour que la sélection soit juste, vous passerez tous le même examen : grimper à l'arbre. » L'image illustre une citation d'Einstein : « Tout le monde est un génie. Mais si vous jugez un poisson à ses capacités à grimper à un arbre, il passera sa vie à croire qu'il est stupide. »

Évidemment, un tel examen avantage le singe et l'oiseau, et il disqualifie d'emblée le pingouin et le poisson. Sous couvert de traiter tout le monde de manière égale, cette épreuve est profondément inéquitable.

Le cœur de l'égalité, ce n'est pas l'uniformité, c'est l'équité et la proportionnalité. Ainsi, les décisions ne doivent pas être prises par tous, mais par ceux qu'elles concernent et en proportion des intérêts en jeu. Conformément à l'éthique de responsabilité, il faut prendre en compte les spécificités de chacun et les conséquences de chaque décision, plutôt que de s'en tenir à des considérations formelles et procédurales.

Pendant longtemps, le capitalisme s'est fondé sur une inégalité fondamentale entre les propriétaires du capital et les travailleurs. Et malheureusement, comme vient de le rappeler avec fracas Thomas Piketty, ces inégalités ne se sont pas atténuées au XXe siècle, elles se sont au contraire accrues[1]. Tel est l'un des principaux défis que nous devons résoudre pour assurer l'harmonie des échanges au XXIe siècle. Car comme l'assure le philosophe Marc Fleurbaey, « les transactions volontaires ne sont saines qu'entre égaux ». Voilà, ajoute-t-il, « un principe qui, s'il était pris au sérieux, ferait trembler notre système économique sur ses bases[2] ». Et voilà précisément la révolution qu'est en train d'opérer Internet, en permettant aux producteurs et aux consommateurs d'échanger et de partager d'égal à égal, comme nous le verrons en dernière partie.

Ce capitalisme égalitaire est une résurgence de l'esprit tribal. De fait, les sociétés primitives sont hautement égalitaires. Comme nous l'avons vu, leur chef ne les surplombe pas et l'idée de classes sociales leur est totalement étrangère. Chaque membre d'une tribu a plus ou moins les mêmes prérogatives qu'un autre, et donc tout ce qui leur est commun est important. En ce sens, comme nous l'avons vu également, ces sociétés privilégient l'usage sur la possession. L'égalité y vient de la faiblesse de l'avoir et de la grande quantité d'usage commun.

---

1. PIKETTY Thomas, *Le capital au XXIe siècle*, Paris : Seuil, 2013
2. FLEURBAEY Marc, *Capitalisme ou démocratie ? L'alternative du XXIe siècle*, Paris : Grasset, 2006, p.186

Avec la constitution de sociétés monarchiques, une hiérarchie sociale apparaît qui divise la société en groupes et en classes. Une élite politique, économique et religieuse se met en place qui revendique l'exercice du pouvoir et, dans bien des cas, la concentration des richesses et des avantages. Il y a désormais d'un côté les gouvernants et de l'autre les gouvernés. Dans ces sociétés, la primauté est donnée à la propriété au détriment de l'usage commun et de l'égalité. Ces sociétés sont donc généralement d'autant moins fraternelles qu'elles sont inégalitaires et attachées à la propriété.

Certes, la plupart des religions continuent d'affirmer une égalité de leurs fidèles devant Dieu (c'est notamment le cas du christianisme). Mais dans les faits, il en va tout autrement, et les Églises sont généralement structurées en longues chaînes hiérarchiques.

La justice, dont l'essor accompagne le déploiement des sociétés monarchiques, repose certes sur le principe d'*isonomie*, selon lequel les citoyens sont tous égaux devant la loi. Pour Hannah Arendt, un tel principe est tellement structurant que « l'État-nation ne saurait exister une fois que son principe d'égalité devant la loi a cédé. Sans cette égalité juridique, qui avait été prévue à l'origine pour remplacer les lois et l'ordre de l'ancienne société féodale, la nation se dissout en une masse anarchique d'individus sur- et sous-privilégiés.[1] » On ne peut s'empêcher de constater chaque jour, hélas, que cette égalité de droit cache bien des inégalités de fait. Comme les animaux ne sont pas tous égaux devant un arbre à grimper, les citoyens ne sont pas tous égaux devant la loi.

La nouvelle ère marque le retour de l'*usage* au détriment de la *propriété*. Comme du temps des sociétés tribales, elle valorise davantage les échanges équitables, le partage

1. ARENDT Hannah, *Les origines du totalitarisme. Vol. 2 : L'impérialisme*, trad. de l'anglais par M. Leiris, Paris : Seuil, 1982 [1951], p.270

et la propriété commune. Elle promeut ainsi des relations sociales fondées sur l'égalité et la fraternité.

Dans mon enfance, gosse de riche, je possédais beaucoup de billes, tandis que le plus pauvre de mes amis n'en avait aucune. Quand nous nous retrouvions au jardin public, je lui donnais une partie de mes billes pour que nous puissions jouer ensemble. J'ai ainsi appris que l'usage est plus important que la propriété, et que les usages se multiplient en proportion des échanges. C'est à travers l'usage que l'on construit l'égalité. Ainsi, en partageant mes billes, je brisais un rapport inégal pour permettre l'échange et l'usage. Et tout le monde en ressortait gagnant.

Égalité et participation

La démocratie, comme l'ont bien vu Rousseau et Tocqueville, signifie souvent, dans l'esprit de ses défenseurs, l'égalisation des conditions. Réfléchissant sur l'État, Lénine lui-même n'affirmait-il pas : « Démocratie veut dire égalité[1] » ?

Il existe, en fait, deux définitions de la démocratie. Selon la première, que l'on peut dire procédurale, la démocratie correspond à l'État de droit et à la mise en œuvre de principes abstraits. L'égalité qu'elle promeut est en effet le produit d'une abstraction. Selon une deuxième définition, que l'on peut dire substantielle, la démocratie est la construction d'une communauté politique visant au bien commun et à l'intérêt général. La démocratie concertative propre à la nouvelle ère doit quant à elle combiner les idéaux de la démocratie procédurale et les réalisations concrètes de la démocratie substantielle.

1. LENINE, *L'État et la révolution. La doctrine marxiste de l'État et les tâches du prolétariat dans la révolution*, Moscou : Editions du Progrès, 1981 [1917], p.147

En théorie, selon l'approche procédurale, nous sommes tous politiquement semblables et nos différences sont devenues affaires privées. Le problème que nous devons régler à un niveau substantiel, c'est que si les citoyens sont censés être égaux entre eux, ils restent nécessairement dans un rapport d'inégalité vis-à-vis de leur souverain. C'est en ce sens qu'il faut comprendre l'avertissement que lançait Arendt : « un des problèmes les plus graves de toute la politique moderne n'est pas de concilier égalité et liberté mais plutôt égalité et autorité.[1] » Comment, dès lors que quelques individus sont élevés au-dessus du corps des citoyens, préserver la force du principe d'égalité ?

L'une des solutions imaginées par les sociétés monarchiques a consisté dans la représentation. En contraignant la légitimité monarchique à composer toujours plus avec la légitimité représentative, les révolutions politiques modernes ont amené l'autorité hiérarchique du souverain à faire place à la raison égalitaire qu'incarnent les parlements. C'est surtout vrai de la Révolution française, qui a fait de l'égalité l'une de ses bannières, tandis que la Révolution américaine a glorifié davantage la liberté et le bonheur. Comme nous le verrons, ces mécanismes de représentation du peuple sont aujourd'hui arrivés à bout de souffle et demandent à être transformés de fond en comble. Dans bien des cas, la *représentation*doit se combiner avec la *participation*, comme le permet la démocratie concertative.

Au XXe siècle, les victoires du mouvement ouvrier et les transformations sociales ont introduit l'égalité dans les rapports de travail entre le patron et l'employé, dans le mariage entre le mari et la femme, et même dans la famille entre parents et enfants. Entre 1965 et 1975, le droit familial a ainsi été redéfini un peu partout en Occident pour

1. ARENDT Hannah, *Essai sur la révolution*, trad. de l'anglais par M. Chrestien, Paris : Gallimard, 1967 [1963], p.413

y traduire les revendications égalitaires des mouvements féministes.

À partir du milieu du XXe siècle, l'imaginaire du pouvoir est également transformé par les théories cybernétiques. Pour leurs concepteurs, la communication ne doit plus s'effectuer du sommet vers la base, mais elle doit être un ensemble d'interactions horizontales régulées par le principe de causalité boucle (*feedback*) dont je parlais dans mon introduction. La cybernétique vise ainsi à construire des réseaux acentrés et capables de s'auto-réguler en permettant à leur environnement de communiquer avec eux, comme dans le cas du thermostat que je prenais pour exemple.

Selon l'historien d'Internet Fred Turner, la constitution des réseaux, dans l'Amérique des années 40, a immédiatement revêtu une dimension politique. Il s'agissait de réagir au modèle dirigiste que représentaient l'Allemagne nazie et l'URSS communiste. Les réseaux ont été également considérés comme une alternative au modèle hiérarchique descendant qui caractérisait alors – et caractérise toujours – les médias de masse[1].

Littéralement traumatisé par la Deuxième Guerre mondiale et les bombardements de Nagasaki et Hiroshima, le père de la cybernétique, Norbert Wiener, a par exemple publié un ouvrage en 1950 qui détaillait divers moyens d'éviter aux pays démocratiques de dériver vers l'autoritarisme. Dans les systèmes hiérarchiques, écrivait-il, les êtres humains situés aux échelons inférieurs de la hiérarchie « ont été réduits au statut d'exécutants au service d'un système nerveux prétendument supérieur. J'aimerais consacrer ce livre à une protestation contre cet usage inhumain des êtres humains ; car dans mon esprit, tout usage d'un être humain

1. TURNER Fred, *The Democratic Surround: Multimedia & American Liberalism from World War II to the Psychedelic Sixties*, Chicago: The University of Chicago Press, 2013

dans lequel il lui est demandé et attribué moins que son état est une dégradation et un gâchis.[1] » Favorisant la participation de tous et des relations horizontales, le réseau est, de fait, la forme politique la plus égalitaire qui soit.

Cette vision égalitariste a imprégné la contre-culture des années 60, dont on sait qu'elle a donné naissance à la Silicon Valley. L'égalité est ainsi le pilier de la philosophie numérique en général et d'Internet en particulier. Comme nous le verrons dans notre quatrième partie, Internet promeut en effet des relations égalitaires dans tous les domaines : au niveau politique, économique, social et culturel.

Si la représentation constitue une courroie de transmission verticale, permettant de faire circuler les décisions et les responsabilités de bas en haut, la participation est une courroie de transmission horizontale, permettant de partager avec ses pairs les décisions et les responsabilités. Il ne faut donc pas opposer ces deux formes d'organisation mais les combiner. C'est précisément ce que permet la démocratie concertative.

La participation qui caractérise ce système n'est pas le populisme, que l'on voit par exemple s'exprimer à travers toutes sortes de votations et de référendums. Demander à chacun son avis est une bonne manière de créer des courants émotionnels, mais pas de la réflexion. Cela conduit chacun à renforcer ses convictions et non à les changer. La solution n'est donc pas de multiplier les points de vue mais de les *catalyser*.

Cela ne veut pas dire que tout le monde soit d'accord ou pense la même chose. Au contraire, gardons-nous de l'unanimisme et de la pensée unique. Cela signifie en revanche que tout le monde discute. Dans un système uniquement représentatif, les pouvoirs et les contre-pouvoirs tendent à

1. WIENER Norbert, *The Human Use of Human Beings. Cybernetics and Society*, London: Eyre and Spottiswoode, 1950 [1949], p.16

s'opposer, tandis que dans un système concertatifs ils sont amenés à dialoguer.

Liberté, fraternité, égalité, des principes qui font système

Vous aurez sans doute remarqué que je n'ai pas respecté l'ordre habituel de présentation des principes républicains. Au lieu de définir la liberté, puis l'égalité, puis la fraternité, j'ai interverti ces deux derniers principes. Voilà pourquoi.

À mon sens, la liberté est toujours première. Au commencement est l'acte créateur, solitaire, innovant, marginal. Puis vient le groupe, la fraternité, ses règles et sa dynamique, dont le fonctionnement conjugue les libertés de chacun et produit l'égalité de tous. C'est en effet la fraternité qui amène les membres d'un collectif à rechercher une commune égalité, car un groupe n'est pas viable si perdurent en son sein de trop grandes disparités. Autrement dit, la fraternité oblige les libertés individuelles et collectives à trouver un sol commun et à s'égaliser. Le groupe, de par sa dynamique, se dote de règles communes qui accordent les libertés à tous et produisent, ce faisant, de l'égalité pour tous.

La liberté, la fraternité et l'égalité ne sauraient être séparées. Ces principes font système et s'équilibrent mutuellement. Il faut donc s'efforcer de toujours les tenir ensemble. Il y a une phrase que je répète souvent à mes collaborateurs et que tous les employés d'Hervé Thermique connaissent : « Tout seul on va plus vite, mais ensemble on va plus loin. » La liberté sans fraternité peut permettre de franchir une montagne. Mais grâce à la fraternité, la liberté peut déplacer cette montagne et contribuer dans le même temps à créer un groupe uni.

En effet, si l'on valorise trop la liberté, on crée une concurrence exacerbée de tous contre tous et finalement des inégalités, comme c'est le cas aux États-Unis. À l'inverse, si l'on impose trop lourdement l'égalité, on asphyxie la liberté, comme ce fut le cas sous le communisme soviétique, ou au Cambodge sous les Khmers rouges – sans parler de la Corée du Nord. Pis, en voulant imposer l'égalité à toute force, on peut susciter le résultat inverse, à savoir l'individualisme et le chacun pour soi.

Dans l'idéal, ces trois principes non seulement s'équilibrent, mais ils se fertilisent mutuellement. La fraternité, par exemple, ne doit pas essentiellement limiter la liberté de chacun, mais l'accroître, par un jeu d'émulations croisées et d'échanges. Plus encore, la liberté n'est positive que quand il y a fraternité, car la fraternité démultiplie les capacités et crée de la puissance de faire et de l'innovation. Le cas de Richard Texier, que je citais précédemment, est emblématique à cet égard. En créant de la fraternité entre des peintres extrêmement divers, il accroît sa liberté et la leur, en leur permettant de s'enrichir de points de vue radicalement différents.

Plus généralement, il faut cesser d'opposer, selon une logique purement binaire, des termes en apparence contraires comme l'individu et la société, le masculin et le féminin, le jeune et le vieux. Ces termes doivent être conjugués. Au sein des entreprises, par exemple, l'autocontrôle se nourrit de l'avis des pairs. Il faut sortir de l'alternative : soit autocontrôle, soit contrôle par les pairs. Les deux ne peuvent fonctionner que dans une émulation réciproque : comme la fraternité produit de la liberté et de l'égalité, le groupe produit de l'autonomie et de l'individualisation. Le collectif, en ce sens, n'est pas opposé à l'individu mais il en est le fécondateur.

Aujourd'hui, hélas, il n'y en a que pour la liberté et l'égalité. Il suffit de considérer les essais qui paraissent chaque mois. Les uns dénoncent les inégalités, les autres le manque de liberté. La fraternité devrait être au centre des débats, et elle n'y figure même pas en note de bas de page. Certes, il est important de se battre pour la liberté et l'égalité, mais cela ne devrait pas se faire au détriment de la fraternité. Ces trois valeurs ne peuvent en aucun cas être séparées. Il faut faire jouer ces valeurs ensemble, et non pas l'une contre l'autre. Elles forment un tout cohérent dont les effets se combinent plutôt qu'ils ne s'annulent.

7.
Acentralité

En finir avec la monarchie

Aux trois principes républicains que je viens de rappeler, il faut en ajouter un quatrième : l'acentralité.

Les sociétés primitives sont des sociétés sans centre, comme l'avait bien vu Clastres. Elles ne s'organisent pas autour d'un pôle central et structurant, mais en référence à une tradition inaltérable et à un environnement qui les englobe totalement.

Les sociétés monarchiques, à l'inverse, se constituent par rapport à un centre, une capitale, un souverain. La souveraineté s'applique essentiellement à une population qu'elle entend rassembler, unifier, harmoniser. C'est une force centripète et centrifuge qui organise des masses à partir d'un chef et d'une capitale. L'histoire moderne de l'Europe (mais aussi celle de la Chine et du Japon par exemple) est l'histoire de l'assujettissement des peuples et des centres de décision à une autorité monarchique. Même dans le cas des fédérations, le pouvoir est décentralisé mais pas acentralisé. Je veux dire par là qu'il y existe de multiples centres de pouvoir, et non un seul, mais qu'il reste quand même une centralisation du pouvoir.

Les sociétés monarchiques sont souvent également des sociétés patriarcales. Cela ne veut pas dire que tous les hommes y dominent toutes les femmes, mais qu'un homme y domine toute la société, hommes et femmes confondus. Dans de telles sociétés, le père est le modèle, le pourvoyeur de punition et de récompenses, ainsi que la source de toute reconnaissance.

À partir du milieu du XIXe siècle, l'entreprise privée est venue contester l'autorité de l'État et essayer de remettre le pluralisme au goût du jour. Or, on s'est bien vite aperçu que les entreprises tendaient, comme les États, à se constituer en monopoles organisés sur un mode pyramidal et paternaliste. C'est notamment parce que le capitalisme industriel a reposé sur les énergies fossiles, telles que le charbon et le pétrole, qui sont localisées en des points précis et dont l'exploitation suppose des capitaux considérables, que les entreprises ont favorisé la centralisation. La promesse d'une multitude de petits entrepreneurs individuels échangeant sur des marchés libres, dont avait rêvé par exemple Adam Smith, a ainsi fait place à la réalité de très grandes multinationales bureaucratiques que Marx a dénoncé un siècle plus tard. Comme nous le verrons dans la prochaine partie, l'entreprise doit aujourd'hui renouer avec ses premières promesses et abandonner les modes d'organisation hautement hiérarchisés et monarchiques.

Ce principe de centralité, qui caractérise les sociétés monarchiques, doit être remisé sur les étagères des musées, tant il est inadapté à la nouvelle ère. Pis, il est hautement néfaste pour la liberté, la fraternité et l'égalité.

Premièrement, l'existence d'un centre produit de la conformité. C'est un fait : la centralité produit de l'uniformité. Elle massifie les sociétés. Elle ne sait produire de l'unité qu'en écrasant les singularités. L'Occident, à la suite de sa découverte au XVIe siècle d'autres univers culturels, a écrasé leurs spécificités en revendiquant l'universalité.

Partout où ils se sont établis, les colons européens ont ainsi imposé leurs systèmes politiques, économiques, religieux et culturels. La monarchie, en ce sens, ne favorise l'égalité qu'au détriment de la liberté, ou inversement. En polarisant ce qui se trouve autour de lui, le centre induit une certaine conformité. Dans les jeux par exemple, le roi occupe une place très particulière par rapport à laquelle se positionnent toutes les autres pièces. La centralité, en ce sens, est un obstacle à la liberté et à la créativité.

Deuxièmement, l'existence d'un centre induit une concentration des richesses et des pouvoirs. Il existe indéniablement un rapport entre *le* capital et *la* capitale, entre centre et concentration. Comme nous l'avons vu, la constitution des villes en centres d'échange des marchandises a correspondu à l'assujettissement des campagnes. De cette concentration des richesses et des pouvoirs résulte forcément des inégalités entre ceux qui ont et ceux qui n'ont pas, et ces inégalités minent la fraternité.

Troisièmement, la logique du centre, c'est le *plan.* La centralisation entraîne la fixation de standards, de procédures et de programmes que le centre tend à imposer au reste. La capitale est bien souvent une force de planification d'un pays, qu'elle soumet à des plans d'aménagement du territoire et à des programmes économiques. Ce qui conduit à un surcroît d'uniformisation, tout ce qui n'est pas préprogrammé étant soit supprimé soit ignoré. Pour le dire autrement, on veut alors tellement aller à un endroit précis que l'on devient aveugle aux autres destinations possibles.

S'il faut se défaire de la notion de planification, il convient de garder celles de prévision et de probabilité. Sortir de la programmation ne veut pas dire faire n'importe quoi et se refuser tout moyen d'action sur l'avenir, bien au contraire. Mais il ne faut pas que notre apprivoisement de l'avenir nous conduise à l'appauvrir.

Disséminer le pouvoir

La réponse à la centralité, ce n'est pas la décentralisation, c'est la démocratie concertative. J'ai toujours estimé que, plutôt que de multiplier les contre-pouvoirs, il fallait *disséminer* le pouvoir ; qu'il fallait *acentraliser* plutôt que de simplement décentraliser. Où que j'aie travaillé, je me suis efforcé de transformer les pyramides bureaucratiques en réseaux constitués d'acteurs autonomes. Cela ne signifie pas qu'il faille absolument nier l'existence d'un centre. Ce qu'il faut nier, bien plutôt, c'est la position de surplomb de ce centre par rapport au reste et sa concentration excessive des pouvoirs.

Dans la nouvelle ère, le monarque doit disparaître purement et simplement. Le gouvernant doit devenir un catalyseur, un éducateur, un entraîneur, un coach, un leader, un partenaire. Il doit être un agent de cohésion et de médiation conciliant la dynamique égalitaire et les exigences de liberté. Il faut abandonner le modèle militaire descendant. Le gouvernant du XXIe siècle ne peut pas être un général d'armée qui commande à une troupe uniforme en uniforme. Il doit être un animateur de réseaux. Selon ce schéma, l'autorité ne s'exerce pas de bas en haut mais latéralement. Et la pression des pères de le céder à la pression du groupe des pairs.

S'il est facile de s'opposer à l'État (on peut même en retirer à peu de frais une certaine gloire), il est bien plus difficile de s'opposer au groupe de pairs. Typiquement, dans un modèle monarchique, la reconnaissance est obtenue par les individus en se conformant à un modèle (P), qui le Président élu, qui le Patron, qui le Professeur, qui le Père. Les gouvernés sont invités à se trouver un tuteur, à rechercher les récompenses et à éviter les punitions. Dans un modèle acentré, la reconnaissance est au contraire octroyée par les pairs. Elle ne résulte pas de l'imitation d'un modèle mais de l'expression d'une créativité et d'une singularité. L'individu est valorisé au prorata de son utilité sociale et de sa contribution à une œuvre commune, et non en proportion de sa conformité à une figure centrale.

Au sein de l'Union européenne, le catalyseur devrait être la Commission. À l'époque où j'étais parlementaire européen, c'était Jacques Delors qui jouait ce rôle catalyseur, avec grand talent je dois dire. Mais avec l'éclatement du bloc soviétique, l'Europe s'est élargie trop rapidement aux pays qui voulaient se mettre à l'abri d'un éventuel retour sous le joug russe. Et il faut admettre que Barroso n'a pas été à la hauteur de sa tâche. Pour une partie de l'UE, dont nous sommes, ce qui fait commun c'est l'euro. Le problème étant que, si nous avons une monnaie unique, nous n'avons pas une économie commune.

Il est donc nécessaire pour un leader de pratiquer le retrait et le décentrement. En regardant derrière moi, je me dis que c'est l'erreur que j'ai commise à Parthenay. À trop vouloir être plongé dans l'expérience unique en Europe de ville numérisée, à trop vouloir répondre aux attentes de ceux qui venaient du monde entier pour apprendre de nous, j'ai voulu trop faire moi-même plutôt que de me tenir à distance et de n'intervenir qu'en qualité de catalyseur. Je n'ai pas été assez patient. En conséquence de quoi j'ai perdu mon siège, car pour la plupart mes concitoyens n'étaient pas impliqués et certains avaient peur de perdre l'autorité que confère l'information et le savoir non partagés. Tout ceci, corrélé à l'effondrement des valeurs numériques au Nasdaq, a prévalu sur les effets positifs. Mais je n'ai aucun regret, car l'expérience de l'« *in town net* » a été magnifique.

En outre, j'ai eu le sentiment à ce moment-là que ma mission était accomplie. J'avais joué mon rôle créateur, il s'agissait maintenant de gérer un système bien en place et cela pouvait se faire sans moi. Même si je me suis représenté afin d'assurer la pérennité du projet, j'étais déjà en train de regarder ailleurs. Il faut savoir passer la main. J'ai vu bien des créateurs d'entreprises, au soir de leur vie, étouffer leur création de peur qu'elle ne leur échappe. C'est typique des dirigeants qui sont dans la domination et non dans la création. Ils ont besoin d'entretenir des relations de pouvoir pour exister. Un dirigeant créateur, au contraire, s'épanouit dans l'effervescence de la nouveauté et il éprouve une joie réelle à voir ses créations lui échapper pour voler de leurs propres ailes.

Mes différentes expériences, au sein du Groupe Hervé et à Parthenay, m'ont fait comprendre l'utilité du décentrement. Par exemple, j'aime beaucoup faire participer aux réunions une personne tout à fait extérieure à la situation, car celle-ci ne manque jamais de mettre en lumière un problème que personne ne voit tant il fait partie du décor. Un tel regard extérieur fait généralement bouger les comportements au sein du groupe, en apportant un nouvel éclairage et en questionnant l'impensé du collectif.

Tous les groupes reposent en effet sur un impensé. Une communauté ne peut fonctionner si elle doit sans cesse rappeler ses règlements, ses principes et ses objectifs. À la longue, ses manières de penser et de faire se sédimentent, ce qui présente l'avantage de la rapidité, car dès lors les réflexes sont acquis et la communication réduite au minimum. Le problème est que, quand les choses changent, les routines doivent changer aussi, et il n'est pas évident de casser les protocoles que le groupe a progressivement institués. Bien des membres du groupe voient ce qu'ils pourraient perdre à se défaire de ces manières de faire et de penser auxquelles ils sont habitués, et peu voient ce qu'ils ont à y gagner. Le premier pas, dans ce genre de situation, est de rendre visible ce qui est devenu invisible au groupe. Et pour ce faire, la présence d'un « élément perturbateur » venu de l'extérieur est souvent une excellente chose.

Comme le disait le théoricien du management Peter Drucker, toutes les entreprises et tous les groupes de travail devraient régulièrement questionner leurs manières de faire et leurs objectifs, même quand tout va bien. Il nomme cela l'« abandon planifié ». Ainsi, écrit-il, « tous les trois ans, une organisation devrait demander à tous les produits, tous les services, toutes les politiques, tous les canaux de distribution : si nous n'y étions pas déjà, y irions-nous maintenant[1] ? » D'après mon expérience, une telle remise en question est presque toujours salutaire. Mais cela nécessite que l'encadrement ne soit pas arc-bouté sur ses acquis et ses prérogatives.

L'exemple que je prends souvent pour expliquer le rôle du leader dans la nouvelle ère, c'est celui de l'orchestre philharmonique. Le chef d'orchestre est au service du groupe, et non le groupe à son service. Comme j'aime à le répéter, *il faut régner pour servir et non pour dominer*. Un tel dirigeant ne dit pas aux uns et aux autres ce qu'ils doivent faire, mais il leur permet de *s'harmoniser*. Il sert de repère et non de guide. Il facilite la coordination tout en laissant chacun développer sa créativité. Bref, il aide à fraterniser en en combinant la liberté et l'égalité. L'enjeu de la nouvelle ère, vous l'aurez compris, c'est de nous débarrasser des chefs de bande et de les remplacer par des chefs d'orchestre.

Le chef d'orchestre est un catalyseur. Il ne décide pas à la place de ses subordonnés, il les fait décider et se met au service de leur décision. C'est un principe cardinal de la démocratie concertative : *la décision est toujours collective*. Le leader est là pour aider à construire la règle commune, mais aussi à la défaire si besoin, comme nous le disions à l'instant. Il peut dans certains cas autoriser des dérogations à la règle, afin de permettre que soient menées des expériences pilotes.

Quand il y a un conflit entre un membre de l'orchestre et son chef, c'est l'orchestre qui doit trancher. Le dénouement

---

1. DRUCKER Peter F., *Du Management*, trad. de l'anglais par S. Rolland, Paris : Pearson Education France, 2004, [1998], p.102

prend alors généralement l'une de ces trois formes. 1) Le dirigeant est mauvais mais il en prend conscience et veut se transformer. L'orchestre lui donne alors une seconde chance. 2) Le dirigeant est mauvais et, refusant de changer, il part. 3) L'individu en conflit avec le dirigeant est mis en minorité et doit soit s'amender, soit partir.

Dans les petits groupes, on peut se passer de ce point de mire qu'est le chef d'orchestre. L'exemple que je prends pour décrire un tel cas, c'est celui de l'orchestre de jazz, dont les différents membres peuvent se coordonner sans pour autant être menés par l'un d'eux. Et non seulement ils arrivent à jouer en harmonie, mais ils parviennent même à improviser.

« Harmonie » : c'est un mot que j'aime beaucoup. Et c'est une idée, malheureusement, que la civilisation occidentale a progressivement perdue, à la différence de la philosophie chinoise qui a continué à la cultiver. Cette philosophie se décompose en effet en trois dimensions qui visent toutes à l'harmonie : 1) le *bouddhisme*, qui cherche l'harmonie dans le rapport à soi ; 2) le *confucianisme*, qui cherche l'harmonie dans le rapport à l'autre ; et 3) le*taoïsme*, qui cherche l'harmonie dans le rapport à la nature.

Ces trois dimensions correspondent aux trois sortes de bonheur que j'aime à distinguer : 1) Le bonheur de vivre, d'être et d'être soi, de se projeter dans l'avenir, de découvrir, d'apprendre, de voyager, de prendre des risques, d'être reconnu ; c'est la dimension de la liberté et de l'individu. 2) Le bonheur d'être ensemble, d'aimer, de donner, de co-entreprendre, de s'ouvrir ; c'est la dimension de la fraternité et du lien aux autres. 3) Le bonheur d'avoir, de posséder, au présent, par les sens ; c'est la dimension de l'égalité et du lien à l'environnement.

La philosophie chinoise est radicalement différente de la philosophie aristotélicienne. Elle ne repose pas sur le *logos*, sur le raisonnement logique qui procède par analyse plutôt que par synthèse. Elle se concentre sur la résolution de problèmes, et non sur la définition de concepts, et elle recourt plus volontiers à des exemples qu'à des théorèmes.

La troisième ère mêle ces deux philosophies. Elle est aristotélicienne, logique, abstraite, mais elle est aussi chinoise, déductive, concrète. Elle combine la connaissance rationnelle et l'intuition non-linéaire propre à la nature, comme je le soulignais en introduction.

Il ne faut pas poser ces deux pensées comme antithétiques, ainsi que le font aujourd'hui trop d'observateurs, prompts à raviver les schémas de pensée binaires qui ont prévalu pendant la Guerre froide. Au contraire, ces deux systèmes philosophiques se combinent. Ils partagent de nombreux éléments communs et, même quand ils semblent en désaccord, il est possible de dépasser ces frictions en une synthèse constructive. Tel est précisément l'un des enjeux de la troisième ère : éviter le choc des civilisations entre l'Occident et l'Orient. En nous fondant sur ce que nous partageons de commun, nous devons, Occidentaux et Orientaux, construire le monde ensemble.

En résumé, comme nous venons de le voir, la trame institutionnelle de nos sociétés est marquée par l'héritage monarchique et son principe cardinal de centralité. Nos institutions sont souvent bureaucratiques et pyramidales, nos règles sont généralement très formalisées et nous-mêmes avons tendance à conduire notre existence, au travail comme en dehors, de manière très cartésienne.

La première étape, si nous voulons pleinement entrer dans la nouvelle ère, est de réformer nos institutions, nos règles et nos manières de penser. Il faut ainsi accepter de *désinstitutionnaliser* et de *dérégler*. Les trois principales institutions qui doivent évoluer en ce sens sont l'entreprise, l'État et l'école.

La question qui va nous occuper maintenant est double : d'une part, comment créer de la liberté, de la fraternité et de l'égalité dans une logique d'acentralité ? D'autre part, comme rendre ces principes opérants pour réformer les institutions existantes, de manière à tirer le meilleur de l'ère nouvelle qui commence ?

III.

Réformer la société, se défaire de la monarchie

8.
Réformer l'entreprise

La nouvelle économie et le nouveau management

La première institution qu'il nous faut réformer, c'est l'entreprise. Si je commence par elle plutôt que par l'État, c'est parce qu'il me semble que l'entreprise est devenue l'institution centrale de nos sociétés et qu'elle occupe dans la nouvelle ère une position aussi importante que l'État dans l'ère précédente. Je précise ici que j'entends par « entreprise » toute organisation non-étatique remplissant une fonction sociale, qu'elle soit à finalité marchande ou non. Je considère donc les associations comme un certain type d'entreprise.

Le capitalisme du XXIe siècle est d'un genre inédit. Il se distingue en effet des quatre types principaux de capitalisme qui l'ont précédé dans l'histoire, comme j'ai eu l'occasion de le développer dans mon livre précédent[1].

Le premier fut un capitalisme *de la force*, basé sur une économie de rapine au sein de laquelle dominait la figure du guerrier. Ce qui primait, dans un tel système, c'était le savoir-prendre.

---

1. HERVÉ Michel et BRIÈRE Thibaud, *Le Pouvoir au-delà du pouvoir : L'exigence de démocratie dans toute organisation*, Paris : Bourin Editeur, 2012

Puis est apparu un capitalisme *marchand* fondé sur l'échange et sur l'usage de la monnaie. C'est au sein de ce type de capitalisme que la figure du banquier a émergé sur le devant de la scène.

Au XVIIIe siècle a fait jour un capitalisme *industriel*, qui a donné la prééminence au savoir-faire et à la machine. Dans cette économie, le savoir a été principalement appliqué aux instruments, puis peu à peu aux travailleurs.

Ce capitalisme industriel a survécu jusqu'à la fin du XXe siècle, où il a été progressivement suppléé par le capitalisme *de la marque*, basé sur la communication publicitaire.

Ce n'est que maintenant que nous voyons apparaître un capitalisme *de l'adaptation*, basé sur l'innovation, l'intelligence intuitive et la conversation informationnelle. C'est un capitalisme cognitif, se développant conjointement à une société de l'information. À cet égard, si le marché a autant de pouvoir aujourd'hui, c'est justement parce qu'il permet d'organiser l'activité économique autour de l'information.

Appliquant le savoir au travail, les sociétés occidentales ont accompli une révolution de la productivité. Dans cette économie de la connaissance, les gains de productivité sont obtenus en appliquant le savoir au savoir. Le savoir n'est plus *une* ressource ; il devient *la* ressource. L'important n'est plus tant le capital fixe que la capacité d'apprentissage des opérateurs, qui deviennent avant tout des travailleurs du savoir. Si le capitalisme industriel reposait sur la transformation de la matière au moyen d'énergies fossiles, la nouvelle économie repose sur la transformation du savoir et sur les énergies renouvelables.

De même que les énergies fossiles induisaient des formes d'organisation monarchiques, les énergies renouvelables permettent des formes d'organisation acentralisées et participatives. Si tout le monde n'a pas la possibilité physique et financière d'exploiter un gisement de pétrole, tout le monde peut, de manière égalitaire, exploiter les ressources solaire et éolienne. On peut même imaginer, avec Jeremy Rifkin, que d'ici quelques années les citoyens du monde échangeront entre eux de l'énergie autoproduite par le biais des réseaux électriques, de la même manière qu'ils échangent déjà des informations par le biais de réseaux numériques[1].

Les technologies de l'information et de la communication (TIC) amènent déjà les entreprises à se transformer : en permettant d'économiser la force de travail, d'intégrer les capacités de mémorisation et de calculs dans les machines, elles permettent aux opérateurs de se concentrer sur des tâches de conception et d'innovation. Elles permettent de décentraliser les entreprises, de travailler plus facilement de chez soi, de pouvoir échanger sur des forums ou par mail, de partager l'information, de favoriser la transparence et de gagner en temps et en espace. Bref, les TIC sont en train de transformer le travail en donnant aux travailleurs les moyens de l'autonomie individuelle.

L'économie de l'adaptation fait la part belle au capital immatériel. En effet, une organisation est faite de travail physique et mental (employés individuels), de capital matériel (machines, outils) et de capital immatériel. Ce dernier type de capital est le plus mal connu. Il rassemble à la fois des capitaux proprement humains, tels que les savoir-faire, les faire-savoir et plus encore les savoir-être de chacun, des capitaux structurels, comme les brevets, les innovations, les secrets de fabrication, les marques déposées, les droits de reproduction et les modèles d'organisation, et enfin le capital relationnel, composé de la clientèle, du fonds de commerce, de la marque et du réseau. C'est ce genre de capitaux qui tend aujourd'hui à avoir le plus de valeur.

Comme l'avait bien vu Guy Debord, les symboles deviennent plus importants que les objets. De plus en plus,

---

1. Cf. RIFKIN Jeremy, *La Troisième révolution industrielle : comment le pouvoir latéral va transformer l'énergie, l'économie et le monde*, trad. de l'américain par P. et F. Chemla, Paris : Les Liens qui libèrent, 2012 [2011]

le bien n'est plus que le support d'une image, d'un signe. L'économie de l'immatériel repose sur des intangibles tels que les marques, la réputation, la mise en scène, le *storytelling*, la communication ou encore les relations publiques. À cette aune, les signes, les savoirs, les images, les concepts et les idées ont souvent davantage de valeur que les choses physiques.

L'une des conséquences de ces transformations, c'est la remise en cause de la propriété comme pivot de l'exercice du pouvoir économique. Comme nous l'avons vu lorsque nous avons examiné les sociétés monarchiques, la propriété a été un pilier de la définition de droits politiques et des prérogatives accordées aux dirigeants capitalistes. Mais cela est en train de changer.

Les emplois de demain ne se situent plus tant dans l'industrie que dans l'économie des services, qui emploie déjà les trois quarts des salariés occidentaux. L'industrie était basée sur la relation entre les êtres humains et les choses (ou propriétés). Désormais, ce sont les relations entre êtres humains qui génèrent le plus d'échanges et de valeur.

Je suis également persuadé que la nouvelle ère va faire croître les entreprises non marchandes (culture, sport, social, environnement) et celles fondées sur l'échange informationnel telles que les communautés de développeurs de logiciels gratuits, comme Linux, qui faisaient si peur à Bill Gates du temps de notre expérience commune de ville numérisée, comme je le raconterai plus loin.

Les biens manufacturés ne disparaissent pas, évidemment, mais ils deviennent des supports de services. On ne vend plus simplement une voiture, mais aussi un contrat d'entretien. Ou mieux, on ne vend plus une voiture, on la loue (*leasing*). De fait, il importe désormais moins d'*avoir* que de *pouvoir utiliser*. La possession le cède à l'usage. Nous sommes de moins en moins des propriétaires et de plus en plus des usagers, des locataires, des utilisateurs temporaires.

On peut, sur ce point aussi, renvoyer aux travaux de Jeremy Rifkin sur ce qu'il nomme « l'âge de l'accès ». Selon cette perspective, l'économie se réorganise entre d'un côté des pourvoyeurs et de l'autre des usagers. Les premiers sont toujours des propriétaires de biens matériels ou immatériels, tandis que les seconds y ont accès au moyen de procédures de location, de concession, de *leasing*, de droits d'admission, d'adhésion ou d'abonnement qui en définissent un usage provisoire. Ainsi, résume Rifkin, « l'échange de biens entre vendeurs et acheteurs – caractéristique centrale de l'économie de marché moderne – est remplacé par un système d'accès à court terme opérant entre des serveurs et des clients organisés en réseaux.[1] » Ce qui fait la valeur d'un bien, c'est donc moins sa propriété que la capacité à le gérer ou à l'utiliser. Avec le *leasing* par exemple, on gère des infrastructures appartenant à d'autres, et c'est le management qui constitue le véritable créateur de valeur.

Cette nouvelle économie favorise l'émergence de nouveaux modes de consommation, davantage responsables. Le XXe siècle a été le siècle du consommateur. Le XXIe siècle sera celui du citoyen. Le consommateur ne s'intéressait peu, voire pas du tout, à l'histoire du produit et à ses conditions de fabrication. Il se fiait aux marques et s'en tenait aux modèles standards. C'était avant tout un propriétaire, un possesseur.

Le citoyen, à l'inverse, consomme de manière éthique. Il désire des produits et des services respectueux de l'environnement et des travailleurs. Il ne se contente pas de suivre des marques mais il cherche à s'en faire un avis informé en se renseignant sur Internet et sur les réseaux sociaux. Ce qu'il recherche, en dernier ressort, ce n'est pas le standard, c'est le sur-mesure, et ce n'est pas la possession, c'est l'usage.

---

1. RIFKIN Jeremy, *L'Age de l'accès : la révolution de la nouvelle économie*, Paris : La Découverte, 2000, p.11

Favorisant l'éthique de la responsabilité, la consommation responsable se développe particulièrement depuis la fin des années 60 et les premiers « investissements éthiques ». Elle a été renforcée par l'essor du tiers-mondisme, de l'écologisme et des mouvements de consommateurs. Ainsi, même si le gouvernement d'entreprise n'obéit pas forcément à des logiques démocratiques, il est quotidiennement et directement récompensé ou sanctionné par les consommateurs eux-mêmes.

Le célèbre exemple de Nestlé a fait prendre conscience aux entreprises qui en doutaient encore du pouvoir des consommateurs et de leur « conscientisation » croissante. Voilà ce qu'il s'est passé : au début des années 70, Nestlé a lancé une grande campagne marketing en Afrique pour convaincre les jeunes mères que le lait en poudre était meilleur pour la santé de leur enfant que le lait maternel. Et beaucoup l'ont cru. Seulement, ces femmes n'ayant souvent pas accès à l'eau potable, les conséquences ont été désastreuses : des milliers d'enfants sont morts, infectés par des eaux insalubres. Suite à une campagne de boycott des produits Nestlé lancé en 1977 par plusieurs ONG européennes, l'entreprise a perdu près de 20 % de son chiffre d'affaire[1].

Les principes de transparence et de responsabilité sont ainsi devenus des impératifs pour les entreprises sous le poids des revendications de leurs clients. Nombre de ces sociétés se sont donc récemment emparées de thèmes à la mode comme le développement durable, l'éthique des affaires ou la responsabilité sociale et environnementale des entreprises – quoique à des fins parfois plus cosmétiques qu'éthiques[2] : l'entreprise Enron ne possédait-elle pas, par exemple, un *Code of Ethics* ?

---

1. Cette campagne continue toujours, notamment portée par l'association anglaise "Baby Milk Action" (www.babymilkaction.org).
2. Cf. LUBBERS Éveline (Ed.), *La Grande mascarade. Ces multinationales qui lavent plus vert*, Paris: Parangon, 2003

Ce déplacement d'une préoccupation pour la qualité des produits et des services vers la qualité de vie des citoyens reste encore balbutiant, et la plupart des entreprises pensent toujours avec Milton Friedman que « la responsabilité sociale d'une entreprise est d'accroître ses profits[1]. » Il n'en reste pas moins qu'une « *triple bottom line* » s'impose progressivement aux entreprises : assurer les profits, protéger l'environnement et agir en faveur de la justice sociale. L'enjeu étant de leur faire entendre que ces trois objectifs concordent sur le long terme.

Cela est d'autant plus important que la situation économique est des plus incertaines. Les entreprises sont invitées à s'ouvrir à leurs clients, à adopter les dernières technologies, à se tertiariser et à personnaliser leurs offres, tout en faisant face à une concurrence mondiale. Ne survivront dans cet environnement mouvant et hautement compétitif que les entreprises réactives, flexibles et innovantes. Si bien que le défi central lancé au management n'est plus « comment faire ? » mais « que faire ? ».

Les entreprises françaises se montrent particulièrement peu adaptées à cette situation, grevées qu'elles sont pour beaucoup par l'inefficacité, le manque d'innovation et la faible qualité. Nombre d'entreprises restent également très pyramidales et trop bureaucratiques, empêtrées dans l'aller-retours entre échelons hiérarchiques, la lourdeur des mécanismes de contrôle et le respect des multiples procédures de validation et d'évaluation. Cet excès de taylorisation n'a pas seulement pour effet de ralentir les cycles de production et d'en augmenter les coûts, il est également payé au prix fort par des salariés démotivés, peu impliqués et insuffisamment reconnus. C'est le cas des ouvriers autant que des cadres, même si le malaise de ces derniers est moins visible, car les cadres se révoltent non pas massivement, comme le

1. FRIEDMAN Milton, *New York Times Magazine*, September 13, 1970, p.32

font les ouvriers, « mais sur un mode plus individualiste : stratégies de fuite et de désinvestissement, multiplication des comportements de résistance passive et active, bricolages en tous genres destinés à recréer localement les conditions d'un minimum de confort personnel au travail », ainsi que le relève un sociologue français[1].

L'entreprise doit donc accomplir une triple mue : 1) Baisser le prix de revient en privilégiant le don et le contre-don qu'ont pratiqué avec succès les sociétés tribales. 2) Parce que notre rareté, c'est l'innovation, et que la rareté vous permet d'imposer votre prix, c'est l'innovation qu'il faut réussir à stimuler, en donnant aux salariés les moyens de réaliser des innovations incrémentales, et si possible également des innovations de rupture. 3) Le véritable profit d'une entreprise doit être le bonheur de ses salariés : bonheur d'avoir, bonheur d'être, bonheur d'aimer et d'être aimé.

Rappelez-vous les trois piliers de la philosophie chinoise : 1) le taoïsme, ou l'harmonie dans le rapport à l'environnement, 2) le confucianisme, ou l'harmonie dans le rapport à l'autre, et 3) le bouddhisme, ou l'harmonie dans le rapport à soi. C'est cette triple dimension de l'harmonie que nous devons retrouver dans l'entreprise :

1) L'harmonie avec l'environnement. Or l'environnement de l'entreprise étant ses clients, les employés doivent être en harmonie avec leurs demandes.

2) L'harmonie dans le rapport à l'autre, c'est-à-dire, pour un travailleur, avec ses collègues, son équipe, et l'ensemble de son entreprise.

3) L'harmonie dans le rapport à soi. L'entreprise doit donner à chacun le sentiment de son utilité sociale. Chacun de ses membres doit se sentir participer à quelque chose qui a du sens.

---

1. DUPUY François, *La Fatigue des élites : le capitalisme et ses cadres*, Paris : Seuil-La République des idées, 2005, p.6

En plus d'adapter les entreprises à l'environnement marchand que nous venons de décrire, il faut donc les réformer en profondeur de l'intérieur. La clé de voûte de cette transformation, c'est la démocratie. Il convient ainsi de passer de l'aristocratie autoritaire à la démocratie concertative. Cette forme de démocratie ne doit pas être seulement une vitrine. On ne peut se contenter par exemple d'informer et de consulter les salariés ; il faut également les faire participer aux décisions et leur déléguer véritablement le pouvoir de les appliquer.

Il ne s'agit pas de plaquer sur les entreprises le fonctionnement des États occidentaux, ni même pour chacune d'entre elle de copier un modèle de démocratie d'entreprise qui a fait ses preuves ailleurs, mais d'inventer une démocratie concertative *ad hoc*, adaptée à sa culture et à ses membres.

Le prérequis de cette transformation des entreprises, c'est de sortir d'une approche excessivement utilitaire du travail et du travailleur. Le travail doit retrouver son sens, redevenir un moyen d'expression et de réalisation de soi. En réaction à l'atomisation des salariés et à la parcellisation des tâches, il faut réconcilier managés et managers et raviver le collectif en misant sur sa diversité, son intelligence et sa puissance. Il faut ainsi, par exemple, dans la mesure du possible, privilégier les relations personnalisées, peu formalisées, voire affectives, dont les participants sont pris dans l'intégralité de leur être et non seulement comme professionnels.

L'organisation moderne est un orchestre symphonique, composé en grande partie de spécialistes qui s'autocontrôlent, reçoivent des *feedbacks* de leurs voisins et sont simplement coordonnés par un référent extérieur chargé de l'harmonie de l'ensemble. Dans ces organisations, le pouvoir n'est pas concentré au sommet de l'organigramme, mais au contraire au plus près de ceux qui ont prise sur l'environnement client.

Les managers de telles organisations sont des catalyseurs qui favorisent l'expression des expériences singulières, positives ou négatives. Ils savent amplifier l'expression des minoritaires, intensifier la communication virale et favoriser la co-construction de normes consensuelles.

Ces organisations ne comptent plus d'employés, travailleurs du présent en tant que tels, mais uniquement des *intra-entrepreneurs* qui marient le travail au présent, l'adaptation au futur et la force tribale du groupe. Un intra-entrepreneur prend des risques et sait apprendre de ses erreurs, parce qu'il a confiance en son avenir. Il voyage, il se déplace, il converse, il échange, ce qui lui permet d'apprendre aussi des erreurs des autres. Il est également philosophe, dans la mesure où il s'interroge en permanence, plutôt que d'être uniquement dans la proposition de réponses. Bref, l'intra-entrepreneur est libre, fraternel, égalitaire et acentré.

De fait, la transformation et le fonctionnement de l'entreprise doivent s'appuyer sur les quatre principes cardinaux que nous venons de définir. Ces principes se déclinent en préceptes, et ces préceptes se déclinent en outils. Voyons comment et souvenons-nous, ce faisant, qu'il ne s'agit là que d'indications générales. Car il n'existe pas une seule bonne manière d'organiser une entreprise ou de manager les personnes : chaque cas et chaque individu est différent.

Mes conseils paraîtront à beaucoup irréalistes ou excessifs. Ils ont pourtant fait leur preuve au sein du Groupe Hervé et ils commencent à être adoptés par de plus en plus d'entreprises qui font le pari de miser sur leurs membres plutôt que de les traiter comme des incapables devant être sans répit organisés, contrôlés, rationalisés et optimisés.

L'adaptation innovante

Qu'elle soit marchande ou non, l'entreprise a pour finalité de promouvoir l'adaptation. Pour ce faire, seule la liberté individuelle (auto-entrepreneur) ou collective (intra-entrepreneurs) permet aux individus et aux groupes de dépasser les contraintes qui les accablent en innovant sans relâche. La liberté, pour moi, c'est *le dépassement de la contrainte par l'innovation*. En d'autres termes, l'entreprise doit accorder à ses membres ce qu'elle demande pour elle-même : la liberté d'être et d'entreprendre. Cela ne me semble que justice.

On ne peut pas gouverner des travailleurs du savoir, libres et indépendants dans une société en évolution rapide, comme on gouvernait les sociétés agraires ou les sociétés industrielles. L'une des spécificités de ces travailleurs du savoir, c'est notamment qu'ils ne peuvent être réellement contrôlés. Ils ont besoin de liberté pour créer et pour innover. Et ils sont souvent capables de s'autocontrôler.

Il convient donc de ne pas standardiser les individus en voulant tous les faire entrer dans le même moule. Il faut au contraire valoriser leur singularité, leur différence et leur emprunte personnelle sur leur travail. Dans la mesure du possible, il faut éviter les profils de poste ou les profils de carrière. Les salariés acteurs doivent avoir un but commun, mais différentes manières de l'atteindre. Ils doivent avoir des principes communs, mais différentes manières de les interpréter.

Il faut donc favoriser la pédagogie par l'erreur. Comme disait Einstein, « une personne qui n'a jamais commis d'erreurs n'a jamais innové ». *L'erreur est bonne*. Le manager ne doit pas punir la faute, et le managé ne doit pas avoir peur de mal faire ou d'échouer. Quand quelque chose ne va pas, tant mieux : c'est l'occasion de découvrir et d'apprendre. Le seul tort que l'on peut avoir, c'est de n'avoir pas essayé.

Les nouvelles organisations doivent se libérer du stress, qui est une plaie du management actuel, mais aussi de la société tout entière. Aux États-Unis, le coût du stress était évalué en 2000 à 200 milliards de dollars par an et générait la moitié des 500 millions de jours par an d'arrêt de travail[1]. En situation de stress, comme l'explique mon ami Jacques Fradin, notre cerveau limbique concentre notre attention sur notre vécu, sur nos expériences passées. On ne pense plus, à proprement parler, on paralyse la pensée au profit de la reproduction d'une réaction passée. Ceux qui ont passé des examens en étant très stressés savent que c'est généralement un facteur d'échec. Car le stress inhibe l'inventivité. Le but du dirigeant, ce doit donc être de déstresser ses collaborateurs pour leur permettre de donner le meilleur d'eux-mêmes. Pour ce faire, il doit notamment renoncer à noter, à punir et à exercer des pressions.

Afin de promouvoir la liberté dans l'entreprise, il faut également favoriser l'initiative personnelle, l'autonomie, la simplicité et le bon sens, plutôt que la référence à des normes et à des procédures exogènes. On peut en ce sens, par exemple, permettre l'appropriation par l'intra-entrepreneur de son univers proche, de ses horaires, de son emploi du temps, de la manière dont est organisé son travail ou de la façon dont il s'habille.

Plus important encore, il faut libérer le salarié des règles infantilisantes, de la paperasse, des contrôles inutiles. Bien plutôt, il faut favoriser l'autocontrôle ainsi que le contrôle par les pairs et par le biais de relations interpersonnelles. Par exemple, chacun devrait avoir la possibilité d'acheter ou de se procurer lui-même les outils dont il a besoin. On devrait même laisser chaque équipe se fixer ses propres objectifs, ses propres stratégies et ses propres rémunérations. Ce faisant, elle connaîtra mieux ses coûts et ses bénéfices et se sentira davantage responsable envers les autres équipes constituant l'entreprise.

---

1. Cf. FUSTEC Alan et FRADIN Jacques, *L'Entreprise neuronale : comment maîtriser les émotions et les automatismes pour une entreprise plus performante*, Paris : Éd. D'Organisation, 2001, p.7

Selon un principe de subsidiarité, les problèmes doivent être résolus là où ils se posent et par ceux qui les connaissent le mieux. Dans ma vie professionnelle, je suis toujours parti du principe que ceux qui sont en haut de la pyramide n'en savent pas plus que ceux qui sont en bas – et qu'ils en savent même souvent moins. *Ceux qui savent, ce sont ceux qui font.* Interdisons donc aux responsables d'intervenir au niveau n-2. Chaque représentant ne devrait avoir de mandat décisionnaire qu'en ce qui concerne ceux qu'il représente directement. Il est important que le management se force à ne pas solutionner les problèmes que peuvent résoudre directement ses collaborateurs. Même si cela peut se révéler très frustrant, les superviseurs doivent apprendre à poser des questions plutôt que se croire obligés d'apporter des solutions toutes faites aux collaborateurs qui ont un défi à relever.

Pareillement, les salariés ont d'ordinaire une meilleure compréhension de leur entreprise et une vision davantage à long terme que les actionnaires. Laissons-les donc décider de la stratégie générale de l'entreprise, à court et à long terme.

Enfin, parce que nous ne sommes pas tous motivés par les mêmes choses, la subsidiarité permet à chaque salarié entrepreneur de se fixer les objectifs qui le stimulent le plus. Ceux qui travaillent le mieux sont ceux qui le font pour des raisons personnelles. Plus vous vous adressez aux différentes facettes d'un individu, plus vous suscitez son intérêt et sa motivation. Cela peut paraître un truisme, et pourtant beaucoup d'entreprises et de cadres traitent leurs employés comme s'ils étaient tous motivés par deux choses uniquement : la promotion et la prime. Autrement dit : le pouvoir et l'argent.

Ces motivations externes ne valent qu'un temps. La prime et la promotion sont vite oubliées. Tandis que la motivation interne, autonome, qui ne nécessite pas l'intervention d'un agent extérieur, peut durer des mois, des années, et souvent même toute une vie.

La force du collectif

La cellule de base d'une organisation, c'est le groupe. Il compte entre huit et vingt personnes se rassemblant régulièrement. Les membres d'une organisation moderne doivent être avant tout membres de tels groupes restreints et fraternels. Les organisations doivent donner de l'importance aux pairs au détriment des pères. Par exemple, c'est le groupe des pairs, et non le leader, qui doit régler les conflits. Plutôt que de restreindre la résolution du problème à un tête-à-tête entre un encadrant et un subordonné – tête-à-tête dans lequel le supérieur aura toujours le dessus et le subordonné le sentiment d'être toujours la victime –, il faut élargir le cercle des médiateurs.

Notons, à cet égard, qu'il ne faut jamais mettre les conflits et les différends sous le tapis. Il convient au contraire de savoir en détecter les signaux faibles et braquer dessus les projecteurs. Chaque conflit doit être l'occasion d'apprendre de ses pairs. Dans la mesure du possible, chaque obstacle professionnel devrait être résolu par un opérateur en allant chercher la solution chez ses collègues et non auprès d'un n+1.

Non seulement le groupe est un formidable réservoir de savoirs, d'expériences et de contacts, mais le fait de réfléchir ensemble démultiplie le champ d'application de ces savoirs, de ces expériences et de ces contacts. L'intelligence collective est une émulation collective, que l'on pourrait résumer par l'équation : 1 + 1 = 3. L'*innovation ordinaire*, ainsi que je l'appelle, désigne cette capacité à capter l'inventivité de tous et pas uniquement de ceux qui sont payés pour faire de la recherche et du développement. L'autre doit permettre à chacun de se dépasser et d'aller plus loin. Chacun doit ainsi reconnaître qu'il a besoin des autres et de leurs retours sur ce qu'il fait pour mieux se connaître lui-même.

Le principal prérequis à la participation de tous, c'est la disponibilité de l'information. Il faut à tout prix éviter le management par rétention d'informations. Chacun doit ainsi travailler à se rendre aussi transparent que possible en rendant son action visible et lisible par le plus grand nombre. Tout le monde peut être informé et tout le monde peut s'exprimer : c'est une règle que j'ai toujours faite prévaloir dans mon entreprise et dans mes fonctions publiques.

Mais rendre l'information disponible ne suffit pas. Il faut également la rendre compréhensible, et cela nécessite de *former* les collaborateurs. Leur montée perpétuelle en compétence doit leur permettre de contextualiser les informations dont ils disposent et de les lier à d'autres, de manière à les questionner, à les mettre en débat et à innover. La transparence et la formation permettent ainsi de créer de l'agilité individuelle et collective en favorisant une meilleure intelligence des situations et des opportunités. Ainsi, *toutes les demandes de formation sont acceptées*, dans la limite des moyens disponibles, même si elles ne répondent pas directement à un besoin identifié de l'organisation. C'est le pari de la pédagogie : pour peu qu'on leur en donne les moyens, les gens apprennent et comprennent.

Je n'ai jamais été convaincu des vertus de la mise en concurrence des individus au sein des équipes. J'ai toujours fait l'expérience, au contraire, que l'*entraide* et le *servicemutuel* n'avaient que des effets positifs. C'est pourquoi je recommande systématiquement aux dirigeants que je rencontre de récompenser la mise au service des autres, l'utilité sociale et l'aide au collègue dans le besoin. Il faut être dans l'innovation et la liberté par rapport à l'environnement et par rapport aux concurrents, tout en étant dans la fraternité, l'égalité et le commun avec ses équipes.

Il convient ainsi de passer *du consultatif au concertatif*. Il faut non seulement réfléchir ensemble, mais aussi décider ensemble. Non pas col-laborer, (du latin *labor*, « travail ») mais co-opérer (du latin *opus*, « œuvre »). Donner la possibilité à quelqu'un de s'exprimer sans lui donner la possibilité de décider est souvent extrêmement frustrant.

La démocratie participative est, hélas, trop souvent réduite à un sondage d'opinion, sans redistribution réelle des pouvoirs. Les dirigeants demandent aux uns et aux autres leur avis, puis ils décident comme bon leur semble. Une véritable démocratie participative est un régime dans lequel chacun peut co-décider des fins collectives. Et elle permet à ces décisions d'être prises au plus près de leur lieu d'application. De telles décisions collectives, ai-je remarqué, sont à la fois plus pertinentes, moins partiales, moins partielles et mieux appliquées.

Dans l'idéal, les décisions ne sont pas le résultat de compromis, pour lesquels chacun lâche quelque chose, mais de la coordination, qui consiste à inventer une solution qui convient à tous. Lors de la prise de décision, *l'autorité des arguments doit primer sur l'argument d'autorité*. Ce n'est pas celui qui parle le plus fort, le plus souvent ou le plus doctement qui doit emporter la mise, mais c'est le groupe tout entier qui doit parvenir à une décision quasi unanime. Personne ne devrait jamais pouvoir imposer sa décision au sein d'un groupe.

Dans une entreprise aristocratique, même s'il peut consulter les autres, c'est le chef qui a le dernier mot. Dans une démocratie participative, c'est l'équipe qui a le dernier mot. Le représentant apporte des arguments contextuels utiles à la prise de décision, mais la décision est collective, à l'unanimité ou à la majorité des 80/20, voire des trois-quarts. L'unanimité est difficilement atteignable, mais quand la minorité est aussi réduite, elle accepte sans peine la décision de la majorité et fait taire ses réserves.

Il faut ainsi, en somme, favoriser systématiquement le collectif. Si tant est qu'il y ait des représentants, par exemple, ils devraient être choisis collectivement. Aussi souvent que possible, l'effort individuel devrait être restitué dans la perspective du groupe, celui du groupe dans la perspective de l'entreprise, et celui de l'entreprise dans la perspective de la société. C'est là l'un des rôles clés de l'encadrement : aider à rendre visible le pourquoi, donner du sens, faire sourdre la signification de l'effort collectif.

L'échange : don et contre don

En laissant la liberté et la fraternité se déployer dans l'entreprise, nous favorisons l'égalité. L'instauration de relations de travail égalitaires requiert toutefois quelques mesures complémentaires.

Il est ainsi important d'encourager, à tous les échelons de l'entreprise, l'égalité entre les hommes et les femmes, entre les jeunes et les vieux, entre les nouveaux et les anciens. Il faut également rejeter les titres, les privilèges et les symboles de distinction entre les dirigeants et les autres, tels que les bureaux spacieux et les places de parking réservés à la direction. Plus encore, il faut garantir la transparence des rémunérations et des avantages – qui ne font généralement débat que lorsque les différences paraissent anormales par rapport à la culture dominante dans l'entreprise ou au sein de la société en général.

Il est par exemple possible de réduire la division du travail et la spécialisation excessive, en organisant la polyvalence et la rotation des postes. Il nous faut, en ce sens, retrouver la faible division du travail qui prévalait chez les peuples primitifs. Chacun devrait, par exemple, avoir la possibilité de constituer des groupes de travail autour d'une idée mobilisatrice. On peut également favoriser la diversité des opinions et des comportements en protégeant et en encourageant ceux qui expriment une opinion différente, en affirmant par exemple que tout doit être questionné, même de manière farfelue. Au sein de mon groupe, par exemple, je n'hésite jamais à inviter des personnes venant d'horizons différents (militants associatifs, artistes, philosophes, chercheurs), qui vont émettre des avis très originaux sur notre travail et favoriser l'expression des employés les plus en retrait.

L'entreprise doit également promouvoir la réalisation de soi et du projet personnel de ses membres. Les salariés devraient, dans la mesure du possible, faire ce pour quoi ils sont bons et se concentrer sur les domaines dans lesquels ils apportent une réelle valeur ajoutée. Comme nous le disions plus haut, il ne faut pas vouloir les faire rentrer de force dans des cases. L'épanouissement individuel passe par la reconnaissance de l'utilité sociale de chacun. L'entreprise doit être ainsi pleinement ouverte sur la société et consciente du rôle constructif qu'elle y joue. La responsabilité sociale vaut pour l'entreprise en général et pour les employés en particulier.

On parle depuis peu de la responsabilité sociale des entreprises (RSE), mais l'idée que l'entreprise, le salarié et la société ont des intérêts communs a été soulevée très tôt, par des socialistes comme Saint-Simon et Fourier, par exemple, mais également par des économistes classiques tels qu'Adam Smith et David Ricardo. Pour ma part, j'ai toujours trouvé nécessaire d'encastrer l'entreprise dans la société. C'est vrai aussi du marché, dont Karl Polanyi a montré quels dégâts il pouvait produire quand il était « désenchâssé » des structures sociales[1].

En retour, les salariés doivent accepter de se changer eux-mêmes et accepter l'aide des autres. Chacun doit, quand c'est nécessaire, reconnaître ses erreurs et ses limites. Les rapports interpersonnels doivent être ainsi emprunts

1. POLANYI Karl, *La Grande transformation. Aux origines politiques et économiques de notre temps*, trad. de l'anglais par C. Malamud, Paris : Gallimard, 1983 [1944]

de bienveillance. Il faut que nous prenions soin les uns des autres. Aux XVIIIe et XIXe siècles, le terme « management » est, du reste, synonyme de « soin ». Le management consiste alors à faire croître, à développer des potentialités, à accompagner un être vers la maturité[1]. C'est un sens qu'il nous faut retrouver aujourd'hui. Le management doit viser à l'épanouissement de chacun, et non à son contrôle et à sa discipline. Je favorise ainsi, par exemple, l'instauration de parrainages verticaux (seniors / juniors) et horizontaux (entre pairs).

Les parrainages verticaux consistent ainsi à proposer à chaque nouvelle recrue d'être accompagnée par un salarié ayant de l'ancienneté. Le parrain fait ainsi bénéficier son filleul de son expérience, de sa connaissance de l'entreprise et de ses réseaux personnels, sans être avec lui dans un rapport hiérarchique. C'est une pratique courante dans les entreprises démocratiques, qui permet aux nouveaux venus de s'approprier plus rapidement la culture de l'entreprise et de bénéficier de conseils généraux. Le parrain n'est pas là pour résoudre des problèmes opérationnels, mais pour permettre à son filleul de progresser au mieux dans l'entreprise, d'identifier des opportunités et de bénéficier de précieux contacts.

La logique effectuale

Centrer sur un but pour réussir à tout prix est le propre de l'éducation à l'obéissance que nous avons reçue et souvent le signe d'un manque de confiance en soi. La vraie réussite consiste à prendre du recul. Ce n'est plus une logique prédictive mais une logique effectuale et acentrée qui permet de

---

1. LE TEXIER Thibault, "The First Systematized Uses of the Term 'Management' in the 18th and 19th Centuries: Hints for a New History of Management Thought," *Journal of Management History*, Volume 19, Issue 2, pp.189-224

faire le chemin en marchant, afin de saisir toutes les opportunités dont nous avons besoin et afin de favoriser l'aptitude à vivre dans la diversité et l'anticonformisme. Nos entreprises meurent du comportement moutonnier de leurs dirigeants et de leurs employés. N'est-ce pas précisément ce qu'il s'est passé en 2008 ? Tout le monde a fait les mêmes erreurs, et ceux qui ont tiré la sonnette d'alarme se sont vus traiter de mauvais augure.

Au sein du Groupe Hervé, nous ne promouvons pas seulement la diversité culturelle, mais aussi la diversité générationnelle. Nous sommes convaincus, parce que nous l'avons vu concrètement fonctionner, que les jeunes nouveaux font bouger les anciens, mais que la réciproque est aussi vraie. Plutôt que de bâtir des cloisons entre ces deux groupes générationnels, il faut au contraire multiplier les occasions de collaboration. Il faut également promouvoir la diversité géographique, sociale et ethnique, ainsi que l'emploi des personnes en situation de handicap.

Dans l'idéal, comme je le disais plus haut, la stratégie d'une entreprise devrait être définie par ses employés : l'entreprise devient alors ce que les salariés en font au gré de leurs désirs et des opportunités techniques ou commerciales. Nous devons être dans une logique effectuale (adaptation des fins aux moyens) plutôt que dans une logique prédictive (adaptation des moyens aux fins). C'est ce que j'appelle la *méthode agile*. Elle consiste, pour une entreprise, une équipe ou un individu, à s'adapter au fil du projet, en prenant en compte les signaux faibles et en étant à l'écoute des clients. Une telle méthode permet d'avancer pas à pas, de manière incrémentale, plutôt que de foncer tête baissée vers des objectifs prédéfinis par la direction.

C'est un autre aspect du principe de *subsidiarité*, auquel je tiens beaucoup : il faut laisser la décision aux opérateurs. Comme je le disais plus haut, ceux qui font sont ceux qui savent. Dans les sociétés du Groupe Hervé par exemple, nous avons proposé à nos soudeurs et à nos chaudronniers d'aller voir le robot-soudeur que venait de commercialiser Air Liquide. Les soudeurs sont des professionnels qui tirent une grande fierté de leur savoir-faire. Suite à leur découverte du robot, ils ont décidé de l'adopter, notamment pour réduire la pénibilité de leurs tâches. Ils ont ainsi accepté d'être moins payés pour pouvoir s'offrir ce robot, et une fois qu'il a été installé, ils se sont redécouverts en travailleurs intellectuels.

S'ils ont pu faire ce chemin, c'est qu'ils avaient confiance en eux. La confiance en soi induit l'autonomie, la coopération et le plaisir de travailler en équipe. Elle favorise l'auto-évaluation et l'autocontrôle. En revanche, le manque de confiance en soi induit la peur de l'échec et le besoin d'appuis subsidiaires, en l'occurrence le manager catalyseur et le pair. La fausse confiance, quant à elle, conduit à une mauvaise évaluation du risque, au déni de ses erreurs, à la compétition, à la manipulation, au secret et à l'opacité. En situation de fausse confiance, les individus ont besoin de se rattacher à leur histoire et de se mentir en se disant : « vous vous souvenez quand on était les meilleurs, on avait gagné ceci et cela. » Comme je l'ai dit à plusieurs reprises, cette attitude de repli sur son passé conduit à l'immobilisme et à l'aveuglement. À cet égard, la fausse confiance est beaucoup plus préjudiciable à l'entreprise que le manque de confiance en soi.

Laissez-moi vous raconter cette anecdote : j'ai mis très tôt des ordinateurs à disposition des ouvriers, notamment pour leur permettre de pouvoir émettre eux-mêmes leurs bons de commande. Ils étaient très fiers de disposer d'ordinateurs, et pourtant ils se cachaient dans leur voiture pour les utiliser. Intrigué par cette pratique, je me suis renseigné et j'ai découvert qu'ils faisaient ainsi parce qu'ils avaient l'impression qu'utiliser un ordinateur revenait à trahir la classe ouvrière. Quand ils se sont rendus compte que les autres ouvriers les enviaient, ils se sont mis à sortir leur ordinateur de leur voiture. Et l'obstacle qu'il a fallu désamorcer ensuite, ce furent les cadres du Groupe Hervé, pour lesquels la possession d'un ordinateur ne constituait plus un moyen de se rehausser vis-à-vis des opérateurs. Il nous a fallu alors leur rappeler qu'ils devaient tirer leur fierté du travail accompli, et non de leur équipement technique ou d'autres signes extérieurs de richesse.

Dans un cas comme dans l'autre, ce que l'on voit à l'œuvre, c'est de la fausse confiance. Un travailleur doit trouver de la fierté dans son travail et dans sa contribution au groupe, plutôt que dans la simple possession d'un objet ou d'un titre ronflant que les autres n'ont pas. C'est cette vanité et cette fausse confiance en soi qui débouchent sur la compétition, que nous avons dû vaincre hier avec les ouvriers et les cadres, et que nous continuons à combattre aujourd'hui car elles renaissent facilement.

Pis, dans certaines entreprises, ces comportements sont encouragés. On dit à chaque échelon qu'il vaut mieux que celui du dessous et moins bien que celui du dessus. On incite également les employés à assimiler leur fonction et leur salaire à leur poste, et non à leur contribution au collectif. On met l'accent sur les signes extérieurs de réussite, la gamme des voitures de fonction, la taille des bureaux, la marque du téléphone portable. Et surtout, on fait de la hiérarchie une fin en elle-même. Beaucoup de dirigeants qui ont entrepris d'« aplatir » leur pyramide hiérarchique m'ont confié à cet égard que nombre de salariés s'y opposaient, parce qu'ils avaient l'impression que cela remettait en cause leur identité même.

Lorsqu'on travaille dans des systèmes horizontaux, on n'a plus à craindre cela. Car, dès lors, ce n'est plus le sommet qui est le point de référence des identités et des fonctions, mais la manière dont chacun contribue à l'effort général, quels que soient sa place dans l'organigramme, ses diplômes ou le prix de son ordinateur.

Voilà, en résumé, comment les quatre principes cardinaux que j'ai identifiés comme formant le cœur de la nouvelle ère peuvent être mis en application pour transformer les entreprises. Vous l'aurez remarqué, ces principes font système et ne sauraient aller l'un sans l'autre. Par exemple, l'épanouissement personnel est tributaire de la solidarité et de la responsabilité ; il ne peut y avoir de bien-être personnel sans bien commun ; pour pouvoir décider et être responsable, il faut être compétent et informé ; la participation, de même, favorise l'esprit d'équipe, la responsabilité et la compétence. La démocratisation d'une entreprise consiste ainsi à tenir ensemble ces principes.

Enfin, et ce n'est pas sans importance, ces principes donnent des résultats : favoriser une plus grande autonomie des travailleurs, c'est accroître leur réactivité et leur proximité au client ; rehausser les compétences de chacun, c'est multiplier leur efficacité ; leur donner des responsabilités, c'est favoriser leur engagement et leur motivation ; garantir une transparence totale, c'est augmenter la rapidité des décisions ; et permettre aux employés de prendre soin d'eux et de leurs collègues, c'est accroître le bien-être et la résilience de tous. Les entreprises mettant en œuvre la démocratie concertative sont ainsi généralement plus innovantes et plus résilientes, et elles connaissent moins de jours d'arrêts maladie, moins d'accidents du travail et une plus forte croissance.

Pour autant, ne nous voilons pas la face : ce système démocratique peut avoir ses limites. Il impose parfois un changement complet de la culture de l'entreprise, ce qui ne va pas sans vives réactions de certains employés attachés aux anciennes manières de faire et de penser. Démocratiser une entreprise demande du temps, et donc de l'argent. Cela suppose notamment de consacrer une part importante de la masse salariale à la formation. Cela peut induire des lourdeurs décisionnelles, car les choix doivent être faits en commun et entraînent souvent de longs débats, mais la mise en application est plus rapide, portée qu'elle est par l'enthousiasme des décideurs.

On peut également réfléchir au partage du travail et à l'aménagement du temps. Le but, aujourd'hui, n'est plus de « travailler dur » mais de travailler *intelligemment*. L'objectif de l'intra-entrepreneur, ce n'est pas de travailler *plus* mais de travailler *mieux*, et cela veut souvent dire travailler *moins*.

Ces différentes suggestions ne constituent en rien des recettes miracles. Mon expérience m'a prouvé que la détermination d'un dirigeant à démocratiser son entreprise a souvent plus d'importance que les moyens qu'il utilise pour y parvenir. On ne saurait, en revanche, transiger sur les principes qui doivent présider à cette démarche. Dans cette ère concertative, qui nous fait sortir de la culture du chef, les principes de liberté, de fraternité, d'égalité et d'acentralité doivent être au cœur de la réforme de l'entreprise. Ils ont déjà été mis en application à l'échelle macroéconomique, où les acteurs du marché sont dans la *liberté* de mouvement, dans la recherche de *fraternité* entre groupes pour éviter la concurrence à couteaux tirés, dans l'*égalité* des échanges marchands et dans l'*acentralité*, car aucun chef surplombant ne vient dicter leurs comportements. En ce sens, la logique macroéconomique est en avance sur la logique microéconomique de l'entreprise.

C'est un des paradoxes de l'Histoire : alors que les principes de liberté, de fraternité et d'égalité ont été formulés dans le champ politique, c'est dans le champ macroéconomique qu'ils ont été appliqués avec le plus de force. L'institution politique, comme nous allons maintenant le voir, s'est en effet longtemps tenue à de simples déclarations de principe. Il n'est que temps pour elle de passer aux actes.

9.
Refonder l'institution politique

Le constat : désacralisation et privatisation de l'État

Parce qu'il est sans doute impossible de se défaire de l'État, il faut le réformer radicalement selon les principes de la démocratie concertative. La souveraineté n'est pas par nature réfractaire à ces principes, ou du moins aux trois premiers d'entre eux. En particulier, depuis les révolutions politiques des XVIIIe et XIXe siècles, les États démocratiques ont fait leur les principes de liberté, d'égalité et de fraternité. Bien évidemment, le respect de ces principes n'est jamais ni total ni parfait, mais il est acquis qu'ils constituent, pour les pouvoirs publics, des maximes et des objectifs légitimes.

C'est donc le principe d'acentralité qui doit constituer le moteur de transformation de l'État, car c'est celui qui questionne le plus frontalement ses manières de faire et de voir. La question étant de savoir si, à faire de l'acentralité un de ses référentiels cardinaux, l'État ne risque pas de se dissoudre purement et simplement. Peut-on imaginer un État qui ne soit que le coordinateur de pouvoirs régionaux et de volontés individuelles ? Quelles institutions pourraient prendre en charge, en lieu et place de l'État, l'institution des communs, ce à l'échelle nationale comme aux échelles régionales et internationales ? La solution est-elle de faire à l'échelle mondiale ce que l'on a fait à l'échelle européenne ? Que faire de l'ONU et des institutions internationales ? Le problème de la gouvernance mondiale n'est-il pas plutôt celui de sa privatisation ? Autant de questions auxquelles je vais maintenant tenter de répondre.

Avant cela, il est nécessaire de faire le point sur les transformations récentes subies par l'État et l'évolution de la pensée politique. Car c'est sur cette base que se construit la puissance publique de la nouvelle ère.

L'une des tendances de fond que l'on observe depuis une trentaine d'années, c'est la *désacralisation* de l'État. Alors que le souverain était parvenu, au cours de l'ère monarchique, à s'imposer comme le régulateur suprême et incontesté de la société, ce titre lui est de plus en plus disputé par des institutions concurrentes, au premier rang desquelles le marché et l'entreprise.

Plus encore, ce sont toujours davantage le marché et l'entreprise qui fournissent à la pensée politique ses outils conceptuels. Par exemple, d'après les théoriciens des choix publics et une majorité de penseurs libéraux, l'entreprise peut tout à fait remplacer l'État dans l'exécution de ses différentes tâches. L'un d'eux peut même avancer que « l'organisation de la société humaine d'après le modèle le plus favorable à la réalisation des fins envisagées est une question concrète assez prosaïque, qui n'est pas différente, par exemple, de la construction d'une ligne de chemin de fer ou de la production de vêtements ou de meubles [...]. Les problèmes de politique sociale sont des problèmes de technique sociale, et leur solution doit être cherchée de la même façon et avec les mêmes moyens que nous utilisons pour résoudre les autres problèmes techniques : par le raisonnement rationnel et par l'examen des conditions données.[1] »

1. VON MISES Ludwig, *Le Libéralisme*, Paris : Éditions de l'Institut Charles Coquelin, 2006 [1964], p.5

De nombreuses voix se sont élevées depuis une vingtaine d'années, notamment en réponse à la propagation du nouveau management public (*New Public Management*), pour dénoncer la transformation de l'État en une entreprise comme les autres, telle que celle de Pierre Bourdieu par exemple : « on veut substituer le rapport au client, supposé plus égalitaire et plus efficace, au rapport à l'usager et on identifie la «modernisation» au transfert vers le privé des services publics les plus rentables et à la liquidation ou à la mise au pas des personnels subalternes des services publics, tenus pour responsables de toutes les inefficacités et de toutes les «rigidités».[1] » Ces craintes sont légitimes et nous devons rester vigilants à ce que le service public ne soit pas soumis, d'abord et avant tout, au principe marchand de profit et au principe technique d'efficacité.

Mais le véritable problème n'est pas là. Le problème, ce n'est pas la privatisation des services publics. Le problème, c'est la survivance de la culture du chef et de réflexes monarchiques à tous les niveaux de l'institution politique. Même les libéraux sont tout sauf libéraux et restent pour beaucoup dans la culture du chef. Loin de garantir la liberté, la fraternité et l'égalité dans la provision des services publics, l'État peut y faire obstacle. À mes yeux, c'est aux organisations de la société civile de remplir ces fonctions sociales. Idéalement, l'État ne devrait jamais *faire*, mais seulement *faire faire*. Il ne devrait pas être dans la fonctionnalité mais dans l'aménagement d'un espace et d'une temporalité propices à l'intérêt général.

Typiquement, ce n'est pas à l'État de fabriquer notre pain ou nos automobiles, et ce n'est même pas à lui de ramasser nos ordures et de les recycler. Ces fonctions doivent être prises en charge par les entreprises, qu'elles soient ou

1. BOURDIEU Pierre, « La démission de l'État », in BOURDIEU Pierre (Ed), *La Misère du monde*, Paris : Seuil, 1993, pp.219-228, p.221

non à but lucratif. En Angleterre, le prélèvement de l'impôt est réalisé par des entreprises privées, et ça ne pose aucun problème du moment que l'État contrôle leur impartialité et veille au respect de l'intérêt général. De même, depuis que Lionel Jospin a privatisé France Telecom, la téléphonie française est-elle devenue moins innovante et de plus mauvaise qualité ? On pourrait également imaginer des associations de citoyens qui joueraient un rôle de maintien de l'ordre, sous la supervision de la police et de la gendarmerie.

Sur ce point, la société française tend à l'inverse à être communisante. Beaucoup de nos concitoyens se sont habitués à s'en remettre à une autorité monarchique. C'est ce que ne cessait de me répéter Michel Crozier, qui m'envoyait souvent des étudiants observer mes réalisations à Parthenay ou au sein du Groupe Hervé. Ce sociologue n'avait pas de mots assez durs contre la tendance de la bureaucratie à vouloir faire à la place des citoyens et à les déposséder ainsi de leurs moyens d'action.

À Parthenay, j'ai favorisé autant que possible la constitution et la mise en relation d'associations. J'ai par exemple poussé au développement des associations sportives, puis j'ai incité ces associations à se grouper entre elles de manière à constituer des associations d'associations. C'est un peu la même chose que j'ai réalisée avec le club des entrepreneurs du Pays de Gâtine, dont je parlerai plus loin.

Ainsi, l'égalité ne doit pas être imposée d'en haut par les pouvoirs publics. L'État doit être un catalyseur, un chef d'orchestre. Il doit se borner à aménager les conditions de la prise en charge des fonctions publiques par les acteurs concernés. Il doit introduire de la compétition là où il y a des monopoles, comme l'a fait par exemple l'État américain à la fin du XIXe siècle en cassant les trusts et les cartels, et il doit à l'inverse introduire de la coopération là où la compétition dégénère en guerre de tous contre tous. Cela est vrai aussi des institutions internationales, qui doivent devenir les catalyseurs d'initiatives locales davantage que les maîtres d'œuvres de projets décidés en haut lieu.

En d'autres termes, la puissance publique devrait être davantage un *territoire* qu'un acteur à part entière. Elle devrait être un espace de discussion et de déploiement de l'horizontalité, plutôt qu'une instance qui introduit sans cesse de la verticalité.

De nos jours, c'est le marché et Internet qui tiennent ce rôle d'organisateurs des échanges horizontaux. Si cela s'explique aisément, il ne faut pas s'en satisfaire. Nous avons toujours besoin de l'État. C'est quand le futur est incertain que triomphe la régulation par le marché. L'État, en effet, s'adapte mal à l'inconnu et aux changements rapides, à la créativité des individus, aux innovations techniques et à la demande des consommateurs. C'est ainsi que nous tendons littéralement à abandonner l'État comme instrument clé du changement pour nous en remettre aux promesses du libéralisme économique. Et pourtant, si cette doctrine constitue un puissant discours critique, utile notamment à dénoncer les dysfonctionnements de nos machineries administratives, il ne nous dit rien de la direction générale du mouvement de nos sociétés, dont il se contente d'épouser le déploiement, ni du sens actuel de l'existence humaine.

Outre le marché, Internet nous fournit un modèle de communautés auto-régulées, dont les membres assurent la bonne marche de manière collégiale et volontaire. Ce sont eux qui opèrent les arbitrages, négocient les compromis entre intérêts divergents et tempèrent les points de vue extrêmes.

Nos sociétés veulent être accompagnées, suivies, aidées en cas de coup dur, mais, pour le reste, elles veulent pouvoir agir à leur guise. Pensant progresser d'elles-mêmes vers l'avenir, elles refusent d'être ordonnées et régulées par un pouvoir qui les surplombe. Un tel pouvoir, statique et inscrit dans le temps long des institutions, ne peut pas, pense-t-on, nous guider dans des temps dynamiques en perpétuel changement. En ce sens, c'est la société civile et non l'État qui se présente comme le moteur de l'histoire. Ainsi nous faut-il peut-être apprendre à gouverner sans État.

Ce gouvernement sans gouvernement prend aujourd'hui le nom de *gouvernance*. Il s'agit d'un modèle politique où le pouvoir est exercé à son niveau le plus bas et où les parties négocient des accords faiblement contraignants de manière collégiale et volontaire. Si ce mode de coordination est très intéressant, il faut toutefois prendre garde que le pouvoir de domination, que l'on ne fera jamais disparaître, ne revienne pas en douce ou ne s'exerce pas du dehors sur le groupe. Il faut également veiller à ce que ce fonctionnement collégial n'empêche pas l'expression de l'éthique de responsabilité et qu'il permette bel et bien la délibération, plutôt que de dégénérer en un bavardage stérile et sans fin.

Il devient de plus en plus possible de penser des modes de gouvernement non-étatique. Pour le sociologue spécialiste du droit privé et théoricien de la gouvernance Gunther Teubner, par exemple, l'État n'est plus le cœur de la constitution mais un « modèle », une « analogie » et un « stock d'expérience historique, de procédures, de termes, de principes et de normes » dans lequel des « sous-systèmes autonomes » peuvent piocher pour élaborer de nouvelles constitutions civiles sans Assemblée constituante formelle, sans document constitutionnel, sans tribunal spécialisé dans les questions constitutionnelles ni règles explicitement constitutionnelles[1]. Le domaine infiniment régalien du droit international est par exemple progressivement envahi par des normes non-juridiques édictées et sanctionnées par des organismes semi-privés tels que ceux créés par le G8 pour suppléer aux agences onusiennes.

1. TEUBNER Gunther, "Civil Constitutions in Global Society: Alternatives to State-Centered Constitutionalism," in JOERGES Christian, SAND Inge-Johanne and TEUBNER Gunther (Ed.), *Transnational Governance and Constitutionalism*, Oxford and Portand Oregon: Hart Publishing, 2004, pp.3-28, p.18

Que faire ?

Voilà pour le constat. Comment faire, maintenant, pour favoriser des institutions publiques plus démocratiques et plus acentralisées ? « Que faire ? » comme demandait en son temps Lénine, qui avait bien compris qu'il s'agissait là de la question politique par excellence – même s'il n'a jamais trouvé la réponse adéquate.

En premier lieu, force est de constater que l'État constitue probablement l'institution la plus difficile à réformer aujourd'hui, bien davantage que l'entreprise ou l'école. Il abrite un tel nombre de groupes d'intérêts et il a sédimenté en son sein tellement de pratiques que sa transformation relève de la gageure. Mais cela ne doit pas nous arrêter pour autant.

Pour rester au niveau juridique, il conviendrait tout d'abord que la règle n'émane plus d'une autorité monarchique et surplombante. Elle devrait être le produit de la concertation, de la délibération et du quasi-consensus. Il conviendrait ainsi de construire les normes de l'ère nouvelle par viralité et incrémentation.

La *viralité* (ou décision par capillarité) est en effet un levier fondamental d'action publique dans la nouvelle ère, notamment grâce à Internet. Elle permet de construire des décisions par consensus en incluant tous les acteurs concernés. Prenez l'exemple du barrage de Sivens, qui a vu des manifestants écologistes affronter violemment les forces de l'ordre. Était-ce vraiment la solution ? Ces militants n'auraient-ils pas dû, par le dialogue, rechercher un consensus sur ce projet, forger des alliances avec des élus et des agriculteurs et mobiliser des acteurs extérieurs, plutôt que de s'entêter dans une attitude de confrontation qui a parfois confiné à l'autisme ?

Hélas, Sivens n'est qu'un exemple extrême d'une situation très courante. À la suite de Tchernobyl, j'ai rédigé un rapport sur le nucléaire pour le Parlement européen, et les écologistes me sont alors tombés dessus au prétexte que je préconisais de combiner nucléaire et énergie verte pour assurer l'autonomie énergétique de la France. Pour eux, écrire cela était un sacrilège, car le nucléaire était à leurs yeux tout simplement tabou.

C'est là l'un des drames actuels de la politique : trop souvent, nous trouvons d'un côté des militants pétris de certitudes, et de l'autre des énarques binaires sachant répondre aux questions mais n'ayant pas appris à se les poser et à douter. Il y a lieu, à mon sens, de remplacer ces affrontements stériles entre deux absolus par le dialogue, la concertation et la mise en commun. Il faut être pragmatique plutôt que théorique.

J'ai pour ma part toujours privilégié le pragmatisme. Certes, je n'ai cessé de m'abreuver des réflexions formulées par de grands esprits. Ainsi, en créant un club de chercheurs dans le but de m'aider à faire des propositions pour la recherche, du temps où j'étais parlementaire à l'Assemblée nationale, et en m'inspirant du modèle de club que j'avais créé pour rassembler les acteurs économiques du pays de Gâtine, j'ai été amené à fréquenter entre autres Edgar Morin, René Passet, Jacques Robin, ou encore Jacques Testart (qui m'impressionnait pour n'avoir pas hésité à abandonner ses recherches sur l'embryon au nom de l'éthique). Ces intellectuels ont par la suite activement participé au groupe de réflexion Europe 92 (devenu Europe 99) à la Maison Grenelle, qui était aussi le siège de mon entreprise, au 21 boulevard de Grenelle.

Pour ma part, je ne me suis jamais considéré comme un intellectuel. Je me définirais plutôt comme un expérimentateur. J'ai toujours privilégié la mise en application à la théorie, et je me méfie toujours de la science quand elle est trop sûre d'elle. Il faut au contraire, j'en suis persuadé, savoir prendre des chemins de traverse, découvrir, ne pas avoir peur de l'échec et souvent repartir de zéro.

L'autre tâche qui nous incombe, c'est de maintenir la diversité sociale où elle existe et de la créer là où elle n'existe pas ou plus. L'ère monarchique, avons-nous vu, s'est imposée en écrasant la diversité. L'État s'est voulu une grande force unificatrice et homogénéisante. Plus un pays était divers et plus l'État a exercé ce pouvoir de nivellement. Pourquoi la France est-elle une nation très centralisée, sinon parce qu'elle était un pays très multiculturel ? L'État a créé de l'homogénéité en imposant un ordre monarchique. En Allemagne, en revanche, où la diversité culturelle était moindre, l'État n'a pas eu besoin d'imposer cette action uniformisante et le fédéralisme a prévalu.

Aujourd'hui, dès lors que la France est davantage homogène qu'il y a trois siècles, nous pouvons favoriser le confédéralisme sans craindre la sécession généralisée des régions. Il faut même au contraire redécouvrir comme la France est multiculturelle, plutôt que de vouloir à toute force faire entrer les régions dans un carcan national unique[1].

Le mouvement des droits civiques, qui a secoué l'Amérique dans les années 50 et 60, n'a pas visé la reconnaissance d'une différence, mais l'intégration des Noirs dans la société américaine. Il ne s'agissait pas de clamer haut et fort un droit à la diversité, mais au contraire de revendiquer un souhait de conformité. Cette étape, alors jugée indispensable par les leaders de la communauté noire, était à leurs yeux un préalable à la reconnaissance de la spécificité de la culture afro-américaine. Et sans doute avaient-ils raison. Car il faut généralement reconnaître d'abord en autrui un semblable avant de pouvoir accepter sa différence, sans quoi il n'est qu'un étranger, voire un ennemi.

La nouvelle ère nous appelle aujourd'hui à dépasser le paradigme de la *frontière* et de l'*ennemi*, qui ont joué un rôle prépondérant dans l'histoire humaine, pour aller vers le

1. Cf. BRAUDEL Fernand, *L'Identité de la France*, Paris : Flammarion, 1990

paradigme du *partage* et du *métissage*. Nous devons penser nos voisins, proches et lointains, comme porteurs d'opportunités et non de menaces. Cessons de craindre l'autre et accueillons la différence comme une richesse. Bref, passons du pouvoir de domination au pouvoir de création.

Il nous incombe en particulier de conduire des politiques résolument plus égalitaires. L'inégalité est un poison qui tue la participation politique et la cohésion sociale, mais également l'économie. Comme le remarquait le Prix Nobel d'économie Joseph Stiglitz, « les politiques plus égalitaires favorisent la croissance[1] ». En concentrant les richesses au sommet de la pyramide sociale, les riches ne font ainsi que préparer leur ruine.

Il nous faut également sortir de la logique du *plan*. Comme le dit Miguel Benasayag à propos de ses compagnons militants : « ne plus avoir de programme nous permet d'avoir des projets[2] ». Ce qu'il veut dire par là, c'est que les programmes figent les personnes et les idées sous une forme rigide, tandis que les projets les font entrer dans un rapport dynamique.

Plutôt que d'avoir une autorité centrale organisant l'ensemble des parties de manière descendante, il faut privilégier leur *auto-organisation*. Cette auto-organisation consiste en une mise en ordre croissante se développant à partir d'interactions locales entre les composants d'un système. Naissant spontanément de la liberté laissée aux agents, ce processus n'est pas dirigé par une puissance interne ou externe au système. Le résultat de cette auto-organisation est une communauté entièrement acentralisée. Le meilleur exemple de tel système auto-organisé est sans doute le kibboutz

1. STIGLITZ Joseph E., *La Grande désillusion*, traduit de l'anglais par P. Chemla, Paris : Fayard, 2002, p.379
2. BENASAYAG Miguel et SZTULWARK Diego, *Du contre-pouvoir. De la subjectivité contestataire à la construction de contre-pouvoirs*, Paris : La Découverte, 2000, p.19

israélien, qui a longtemps été fondé sur des principes d'autogestion, de contrôle direct et de synergie entre agriculture, industrie et services.

Plutôt que de multiplier les règles et les procédures, il faut simplifier et même à l'occasion *dérégler*. Quand j'étais député, j'ai proposé de consacrer une session par an à supprimer les règles inutiles ou obsolètes. Si je n'ai pas été très entendu à l'époque, l'idée a fait son chemin et va finir par être appliquée. La France doit se débarrasser, une fois pour toutes, de son mille-feuilles législatif.

L'autre chantier principal que nous devons mettre en branle pour réformer les pouvoirs publics, c'est ce que j'appelle la *désinstitutionalisation*. Derrière ce mot un peu barbare, il y a l'idée très simple de défaire les groupes sclérosés par les règles et les procédures strictes qui sont davantage préoccupés par la survie de l'institution que par son utilité publique.

Quand je suis devenu maire, en 1979, je me suis rendu compte que ce poste conférait à son détenteur un pouvoir plus dictatorial encore que celui de chef d'entreprise. En tant que maire de Parthenay, j'étais bridé par beaucoup moins de contre-pouvoirs que lorsque j'étais à la tête de mon entreprise.

Il convient, pour faire pièce à cet excès, de déconcentrer le pouvoir public. Et cela est vrai aussi des entreprises, y compris de certaines qui se veulent très progressistes. Je pense ici aux SCOP (Sociétés coopératives et participatives). C'est une forme d'organisation que je connais très bien, mon père ayant été président de la MACIF. Une fois élu, le gérant d'une SCOP devient une sorte de maire dictatorial. Car si la SCOP partage les *avoirs*, l'élu des salariés ne partage pas forcément le *pouvoir*. C'est pourquoi je ne considère pas ce système comme susceptible de remédier aux maux de la monarchie.

La solution n'est pas non plus de créer des contre-pouvoirs, qui ne peuvent que mâtiner l'exercice du pouvoir sans le contraindre réellement. Du reste, le plus souvent *le contre-pouvoir renforce l'autorité du pouvoir*. C'est vrai dans l'entreprise du contre-pouvoir syndical, mais aussi dans l'espace public des médias qui se veulent des contradicteurs, et non plus seulement des médiateurs, mais qui de ce fait renforcent paradoxalement le rôle monarchique de l'élu du peuple. L'idéal, c'est la dissémination radicale du pouvoir. Quand le pouvoir est entre les mains de chacun, il n'y a plus besoin de contre-pouvoirs. En l'occurrence, il s'agit de donner plus d'importance aux régions et aux territoires et de promouvoir leur diversité. Voyons comment.

Une proposition concrète

Je suis l'un des premiers à avoir parlé de « démocratie participative », et je regrette aujourd'hui de voir comme ce terme a été galvaudé. Car l'idée de départ me semble d'une grande force.

Il faut bien dissocier tout d'abord la démocratie directe – dite aussi « démocratie populaire » et, par déformation, « démocratie participative » au sens où on l'entend généralement aujourd'hui – d'avec la démocratie concertative qui est tout à la fois participative, représentative et confédérale. Précisément, la démocratie concertative doit être confédérale pour pleinement déployer son potentiel de transformation d'un échelon à un autre de nos organisations, comme nous allons le voir maintenant.

Cela n'a pas de sens de demander à de grandes masses d'individus de s'exprimer sur des sujets qui les dépassent complètement, comme le fait la démocratie directe la plus populiste. Les groupes humains très étendus étant traversés par des passions collectives et des mouvements de foule erratiques, ils sont facilement manipulables et parfois irrationnels.

L'espace adéquat pour des échanges à la fois raisonnés et constructifs est celui d'un groupe comprenant entre dix et vingt personnes environ, comparable approximativement à la famille tribale de la première ère. La démocratie ne peut être véritablement participative qu'au sein de tels groupes restreints. C'est la seule échelle à laquelle puisse se construire une authentique fraternité, fondée sur une diversité d'opinions, sur une connaissance réciproque suffisante entre ses membres et sur cette confiance fraternelle sans laquelle nul n'ose exprimer ouvertement un point de vue dissonant.

La solution que je propose mêle donc représentation *et* participation. Il s'agit d'une pyramide inversée, dans laquelle chaque groupe d'une quinzaine de membres nomme un représentant à un échelon supérieur composé lui aussi d'une quinzaine de membres, qui nomme encore un représentant à un échelon supérieur composé lui aussi d'une quinzaine de membres, et ainsi de suite.

Concrètement, des conseils de quartier ou de village nomment des représentants au niveau du quartier ou du village ; ces représentants de quartier ou de village nomment des représentants au niveau de la ville ; des conseils de ville nomment un représentant cantonal, à l'image du canton suisse ; des représentants cantonaux nomment un représentant régional ; ces représentants régionaux nomment un représentant étatique ; ces représentants étatiques nomment un représentant européen qui les représentera au sein d'une sorte de G8 mondial.

Pour aller de l'échelon local des quartiers ou des villages à celui de la planète, il suffit de huit échelons (17 puissance 8 = 7 milliards). À l'échelle française, six échelons suffisent (20 puissance 6 = 64 millions) :

1. Famille
2. Village ou quartier
3. Ville ou arrondissement
4. Canton
5. Région
6. France

7. Europe
8. Monde

Chaque représentant n'est responsable que du territoire qu'il représente, et en aucun cas il ne commande les échelons inférieurs. Quel que soit son échelon, chaque représentant peut discuter avec tout le monde, certes, mais il n'a tout au plus qu'une vingtaine de personnes à animer. Par exemple, dans ce schéma le Président français ne représente pas tous les français, mais seulement les quinze régions françaises.

Le *territoire public* (et non plus la puissance ou les pouvoirs publics) a dès lors pour finalité de promouvoir l'égalité en jouant le rôle de catalyseur de la coopération au moyen d'un système démocratique mêlant participation à petite échelle et représentation d'un échelon à un autre, comme cela existait déjà à l'ère tribale.

Tel est par exemple le système confédéral mis en place par les ligues iroquoises. La confédération des cinq tribus, aussi appelées les Cinq Nations, a été formée au début du XVIe siècle pour mettre un terme à des guerres inter-tribales sans fin (notons au passage que c'est pour les mêmes raisons que l'Union européenne s'est construite sur un modèle fédéral). La confédération iroquoise est basée, comme le système que je viens de décrire, sur un principe de subsidiarité et sur une représentation par échelon. La représentation fonctionne ainsi de bas en haut. Les représentants sont mandatés pour transmettre les arguments de ceux qu'ils représentent afin d'atteindre une décision collective consensuelle.

On pourrait également prendre pour exemple les relations de symbiose entretenues par les différentes composantes d'un être vivant. Ainsi, les molécules s'imbriquent pour former des cellules, qui elles-mêmes s'imbriquent pour former des organes, qui eux-mêmes s'imbriquent pour former l'organisme. Comme le vivant, les communautés humaines doivent être symbiotiques.

Il faut de la représentation, c'est indéniable. Comme le manager doit représenter son équipe au sein de leur entreprise, le représentant politique doit représenter les quinze membres qui forment son groupe. Mais il faut absolument éviter le drame actuel de la démocratie représentative, qui consiste à centraliser tout le pouvoir et à le confier à des élus.

La représentation doit donc être mise sens dessus dessous. On ne doit pas représenter vers le bas, mais avec ses pairs. Par exemple, le Président de la République représente le peuple français quand il est avec ses pairs, lors de négociations européennes, mais au niveau national il devrait être au service de ce que les régions veulent mettre en commun, comme je le détaillerai bientôt.

Un tel système a l'avantage d'être moins coûteux que l'organisation des multiples échelons que compte aujourd'hui l'administration publique française et européenne. Il est également plus transparent, plus responsable et plus égalitaire. Il fait place à l'innovation et favorise l'expression des divergences et de la diversité. C'est aussi, à mon avis, un excellent remède à l'apathie politique et à l'abstention massive que l'on observe à chaque élection politique en France et dans la plupart des pays européens.

La transformation politique que je propose doit se faire de manière progressive et consensuelle. Ce dont nous avons besoin, ce n'est pas d'une révolution, c'est d'une évolution. La révolution est un concept politique typiquement français, auquel nous sommes attachés par romantisme. Mais soyons réalistes : les révolutions tournent toujours mal. Elles débouchent toujours sur des affrontements entre clans, des purges, des réactions et finalement des restaurations. À rebours de la révolution sanglante, je préconise donc l'évolution concertative et démocratique.

Voilà, très concrètement, comment pourraient se passer les choses à l'échelle française : à l'issue des élections régionales de décembre prochain, le Président de la République pourrait décider de remplacer le conseil des ministres par un conseil des régions. Ce conseil des régions aurait pour tâche de décider collectivement des mesures à prendre et le Président, le Premier ministre et les membres de son gouvernement se placeraient au service de cette expression de la volonté générale. Ils deviendraient ainsi les catalyseurs des quinze régions françaises, abandonnant leur position monarchique et leur autorité descendante.

Cette réforme aurait selon moi de nombreux avantages. Citons les principaux : tout d'abord, elle est très simple d'application. Elle revient en effet à appliquer le modèle européen au niveau français. Ensuite, une telle réforme rapprocherait les pouvoirs politiques des citoyens, qui accordent aujourd'hui très peu de crédit au milieu politique parisien. Elle casserait en effet les pouvoirs nationaux établis, tel que celui des syndicats – qui s'arrogent les moyens de concertation alors qu'ils ne représentent que 7 % des salariés. Enfin, cette réforme obligerait les présidents de région à se projeter à l'échelle nationale, plutôt que d'essayer d'obtenir le plus d'avantages possibles pour leur région. Elle responsabiliserait ainsi les représentants politiques qui, à la différence des ministres, sont élus et redevables devant le peuple. Elle les obligerait à accélérer la mise en place d'un dispositif cantonal pour éviter d'apparaître comme des monarques régionaux.

Une autre réforme très concrète pourrait partir à l'inverse de la base. Aujourd'hui, on compte en France 27 000 villages de moins de 1000 habitants, dont 18 000 n'abritent que 400 habitants. Auparavant, leurs représentants étaient élus par un scrutin majoritaire plurinominal avec panachage, qui permettait aux électeurs de choisir des candidats appartenant à plusieurs listes.

La seconde réforme très concrète que je propose consisterait à appliquer ce système d'élection à chaque ensemble de 1000 personnes, qu'il s'agisse des villages, des quartiers de villes, de banlieues ou autres. On ferait ainsi de chaque communauté un village, un cercle tribal, dont les représentants seraient choisis en fonction de leur réputation locale, et non de leur appartenance à une liste ou à un parti. Cette seconde réforme aurait précisément l'avantage de favoriser l'expression des singularités individuelles et du commun collectif, plutôt que les partis et les idéologies. Les élus se définiraient ainsi par rapport à des problèmes, et non par rapport à des labels. Cette réforme favoriserait ainsi l'abandon de la pensée politique excessivement binaire qui nous accable actuellement. Si nous voulons construire du commun, il nous faut dépasser les dichotomies.

Car précisément, réformer les structures politiques se révélera insuffisant si nous ne changeons pas aussi nos manières de voir, nos mentalités et nos façons de penser. Nous aurons beau mettre en place des mécanismes de concertation et de participation, si nous continuons à porter en nous la culture du chef, nous continuerons à perpétuer la logique binaire et conservatrice de l'ère monarchique. C'est en ce sens qu'il nous faut également réformer en profondeur l'école et l'éducation.

10.
Changer l'éducation

L'éducation, entre tradition et modernité

De par la taille de sa boîte crânienne, qui l'oblige à sortir très tôt du ventre de sa mère, le bébé humain est le seul mammifère à naître prématurément. Il aurait en effet besoin d'une gestation de vingt et un mois s'il devait atteindre, dans l'utérus, la maturité physiologique qu'ont les primates à leur naissance.

Ce phénomène, appelé « néoténie », induit un avancement du moment de la naissance, un retard du passage à l'âge adulte et, par suite, la nécessité d'une très longue période de sevrage. Le petit d'homme est ainsi incapable, et pour longtemps, de survivre par ses propres moyens. Cette spécificité biologique confère ainsi une importance primordiale à l'éducation, en habituant le petit d'homme à des contacts prolongés avec sa mère et en le rendant très attentif à ce qu'il peut apprendre d'elle.

L'être humain a ceci de spécifique qu'il est un être en devenir. L'homme conserve, toute sa vie, une incroyable capacité d'adaptation et de création. Nous sommes l'être vivant le moins déterminé par son instinct et par des automatismes comportements, et le plus libre d'apprendre et d'évoluer. L'être humain, comme le résume Konrad Lorenz, est un « spécialiste de la non-spécialisation ». Et celui-ci de préciser : « Le spécialiste de la non-spécialisation se construit à lui-même, par ses actes, son environnement propre ; en revanche, un animal dont les organes corporels et dont le comportement inné sont dans une large mesure adaptés de façon spéciale, vient au monde avec une grande partie d'entre eux.[1] » Cette aptitude à la curiosité et à l'adaptation au monde extérieur subsiste jusque dans la vieillesse, alors que chez tous les autres animaux, et même les plus intelligents, elle ne constitue qu'une courte phase du développement individuel.

Le petit d'homme ne grandit pas seulement dans la proximité à sa mère, mais aussi dans un environnement culturel très riche, fait de rites, de mythes et de croyances diverses. La culture joue pour lui, comme l'a suggéré fort justement Peter Sloterdijk, le rôle d'une véritable couveuse[2].

Toute société privilégie donc nécessairement un certain mode d'éducation. Des sociétés primitives à nos jours, tous les groupes humains ont fait une part importante à leur système éducatif, privilégiant une certaine manière de transmettre et d'apprendre les règles de vie en commun et les moyens de survivre individuellement et collectivement.

Jusqu'au milieu du XIXe siècle, la famille est la principale instance d'éducation. Aujourd'hui encore, il est impossible de penser l'éducation hors de la famille. C'est par exemple à mesure que la famille devient moins répressive et plus égalitaire que l'école le devient aussi. De nos jours, l'équilibre

---

1. LORENZ Konrad, « Le tout et la partie dans la société animale et humaine » (1950), in LORENZ Konrad, *Essais sur le comportement animal et humain : les leçons de l'évolution de la théorie du comportement*, trad. de l'allemand par C. et P. Fredet, Paris : Seuil, 1970 [1965], pp.303-406, pp.379-380

2. SLOTERDIJK Peter, « La Domestication de l'être » (2000), in SLOTERDIJK Peter, *Règles pour le parc humain ; suivi de La Domestication de l'être : pour un éclaircissement de la clairière*, traduit de l'allemand par O. Mannoni, Paris : Mille et une nuits, 2010, pp.71-187, p.135

entre ces deux institutions s'est cependant inversé au bénéfice de l'école. C'est désormais à cette dernière que revient l'essentiel des tâches de socialisation qui incombaient autrefois à la famille. À l'école d'apprendre au petit le contrôle de soi, la hiérarchie des normes et des codes, le respect d'autrui et de l'environnement. Et c'est d'ailleurs parce que l'école doit désormais prendre en charge ces tâches qu'elle est de plus en plus considérée comme une contrainte exercée sur l'élève et sur la vie familiale.

Si l'éducation reste très liée à la famille, elle varie cependant beaucoup d'un pays à l'autre et d'une époque à l'autre. L'école est notamment devenue, à l'ère monarchique, avec l'invention de l'écriture, un instrument névralgique d'intégration nationale, à tel point qu'il n'est pas exagéré de dire que le système d'enseignement est devenu bien souvent un instrument du nationalisme. L'éducation reste d'ailleurs, aujourd'hui encore, essentiellement nationale.

Jusqu'à très récemment, l'école est également restée profondément liée à la tradition. Elle est chargée, par la société, de faire entrer les enfants et les adolescents dans un ordre constitué, et non de leur montrer les voies de l'émancipation et de la création. Certes, l'école, des Lumières jusqu'à Alain dans ses *Propos sur l'éducation*, a été pensée comme un bastion de l'esprit critique face à l'esprit d'autorité. Mais ce n'est cependant que dans les dernières décennies que l'école s'est détachée de l'ordre de la tradition pour être conçue comme un instrument de libération et d'épanouissement de l'enfant.

Je veux préciser ici que si la connaissance est une libération, cette émancipation ne va pas sans efforts. Apprendre nécessite du travail, de l'obéissance et de l'application. L'émancipation, l'autonomie et la liberté ne sont pas des cadeaux, elles sont les fruits d'un travail de maîtrise de soi. Je me permets de rappeler cela car la vision hédoniste de l'éducation a bonne presse, qui voit toute contrainte scolaire comme une abomination. L'école, n'en déplaise aux tenants de cette conception, n'est pas là essentiellement pour assurer le bien-être de l'enfant.

L'école constitue aujourd'hui une institution cardinale des sociétés modernes. La scolarisation s'est considérablement massifiée au XXe siècle et, tandis que l'éducation scolaire remplaçait l'apprentissage sur le tard et par voie d'exemple fourni dans le cadre de la famille, l'école est devenue un point central d'acquisition des savoirs nécessaires à la vie en société.

C'est cette place qui est actuellement remise en question par les technologies numériques. De fait, l'école a perdu le monopole du savoir. Par le biais des médias modernes, et notamment d'Internet, les enfants ont accès à pléthore d'informations. Ceci étant, avoir accès au savoir ne suffit pas. L'enseignant reste indispensable, mais son rôle évolue. Il consiste moins à transmettre des informations qu'à apprendre à les assimiler, les recouper, les critiquer et les combiner. Face à une jeunesse qui se construit de plus en plus hors de l'école, cette institution doit retrouver son rôle moteur.

Internet a provoqué une véritable crise des savoirs ou, tout du moins, il l'a rendue apparente. L'école ne sait plus transmettre et la recherche ne sait plus penser. Avons-nous vraiment découvert quoi que soit d'essentiel sur l'art et la manière de vivre qu'auraient ignoré Aristote, Épicure, Bouddha ou Lao Tse ? L'accroissement exponentiel du nombre de personnes payées pour penser nous a-t-il permis d'en savoir davantage sur ce qu'est un être humain ? Il est permis d'en douter.

Face à ces mutations, l'école doit évoluer aussi. Plutôt que de faire du « bourrage de crânes », elle doit développer l'individu, au sens où elle doit le rendre conscient de tout ce qu'il y a d'humain en lui, de tout ce qui le lie à l'humanité, et non au sens où elle doit lui apprendre à glorifier ses petites particularités et à exprimer sans frein ses moindres désirs. L'école doit ainsi « enseigner la condition humaine[1] », comme le dit si justement Edgar Morin. L'école doit ainsi éduquer à la fraternité, sans laquelle l'équilibre entre liberté individuelle et collective ne peut avoir lieu, mais elle doit aussi construire de l'égalité en maintenant l'équilibre entre diversité et uniformité.

Il nous faut retrouver la force qu'a le passé pour les peuples tribaux. Par-là, je ne veux pas dire que nous devons retomber dans l'éloge affecté des pères fondateurs et des temps anciens. Non, ce qu'il faut réinstaurer, c'est le lien dynamique qui nous attache à notre histoire. Tout ne commence pas avec notre naissance. Nous nous inscrivons dans une longue histoire que nous devons nous approprier, pour en tirer les enseignements et n'en pas répéter les errements. Nous devons rendre ce passé vivant, et non en faire une simple curiosité que l'on visite occasionnellement.

Apprendre de ses pairs

L'école, aujourd'hui encore, ressemble trop souvent à une caserne. L'enfant, soumis à l'autorité d'un maître qui a des allures de père, y est réduit à l'ingurgitation passive de connaissances mortes. Selon le pionnier de la pédopsychologie Jean Piaget, « c'est cette habitude acquise en classe de répéter et d'obéir, de se plier sans réfléchir aux opinions morales et intellectuelles des grands, qui fait que nous avons tellement de peine, une fois devenus adultes, à nous débarrasser des coercitions que les groupes imposent à notre irréflexion[2]. » En habituant l'enfant à obéir docilement et à

1. MORIN Edgar, *Les sept savoirs pour l'éducation du futur*, Paris : Organisation des Nations unies pour l'éducation, 1999, pp.23-32
2. PIAGET Jean, *De la pédagogie*, Paris : Odile Jacob, 1988, p.115

se plier systématiquement à l'opinion de l'enseignant, l'école ne l'aide pas à prendre sa place dans un monde basé sur l'innovation, la discussion ouverte et l'imagination.

Le même Piaget a observé deux types de respect chez l'enfant. D'une part, l'enfant se soumet à une morale du devoir, résultant de la pression de l'adulte, et donc hétéronome. Il s'agit d'une forme d'éthique de la conviction. D'autre part, l'enfant obéit à ce que Piaget nomme une « morale du bien », plus intérieure à sa conscience. L'enfant respecte d'abord ses aînés, puis, plus tard, ses pairs. Et c'est surtout dans son rapport à ses pairs qu'il développe son autonomie. Ainsi, écrit Piaget, la coopération des enfants entre eux présente « une importance aussi grande que l'action des adultes. Du point de vue intellectuel, c'est elle qui est le plus apte à favoriser l'échange réel de la pensée et la discussion, c'est-à-dire toutes les conduites susceptibles d'éduquer l'esprit critique, l'objectivité et la réflexion discursive. Du point de vue moral, elle aboutit à un exercice réel des principes de la conduite, et non pas seulement à une soumission extérieure[1] »

Les méthodes dites « actives », de type Freinet ou Montessori, ont été bâties sur un tel constat. Elles ont visé à favoriser une « cogestion pédagogique » où l'enseignant n'est pas le père tout puissant mais un *stimulateur*, un *catalyseur* et un *organisateur*. Il est étrange que ces méthodes, qui ont pour certaines presque un siècle, restent aujourd'hui encore extrêmement marginales en France.

Et Piaget d'ajouter, amer : « lorsqu'on constate la résistance systématique des écoliers à la méthode autoritaire et l'admirable ingéniosité dépensée par les enfants de tous les pays pour échapper à la contrainte disciplinaire, on ne peut s'empêcher de considérer comme défectueux un système qui gâche autant d'énergies au lieu de les employer

1. PIAGET Jean, *Psychologie et pédagogie*, Paris : Denoël, 1969, pp.263-264

à la coopération[1]. » Aujourd'hui encore, l'éducation, trop souvent, se contente d'inculquer à l'enfant une morale du devoir, alors qu'elle devrait reposer sur une morale du bien et sur l'éthique de responsabilité.

Libérer l'enfant de l'autorité du maître ne signifie pas le laisser faire ce qu'il veut et lui permettre de donner libre cours à toutes ses pulsions. Précisément, l'éducation a d'abord pour tâche de faire réaliser à l'enfant un travail de sortie de l'égocentrisme primitif, que l'on nomme *décentration*. La décentration consiste, pour un enfant, à pouvoir contrebalancer l'information trompeuse apportée par une attention exclusive à lui-même et à ce qu'il est en train de faire. La décentration permet à l'enfant d'échapper aux déformations induites par une trop grande subjectivité et stabiliser ses connaissances en les rendant indépendantes de ses opinions et de ses émotions changeantes. Elle est indispensable à l'enfant pour apprendre les invariants de la pensée concrète que sont la substance, le poids, le volume, le nombre, etc.

Le pivot de la réforme de l'éducation que je propose, c'est la *co-éducation*, ou *éducation par les pairs*. Dans un tel système, ce sont essentiellement les enfants qui sont chargés des apprentissages. Si, dans l'école traditionnelle, chaque enfant regarde uniquement le professeur, dans le système que je propose les enfants se regardent mutuellement. Ainsi, dans chaque discipline, après que l'enseignant-catalyseur a rappelé les principes de base, les meilleurs élèves enseignent aux moins bons. Un élève mauvais dans une matière est forcément bon dans une autre, et il est donc tantôt enseigné, tantôt enseignant, selon le principe qui me tient à cœur du don et du contre-don.

C'est le principe de la « classe puzzle » (*jigsaw classroom*), expérimenté dans les années 1970, au Texas et en Californie, par l'un des plus grands psychologues sociaux américains,

1. PIAGET Jean, *Le Jugement moral chez l'enfant*, Paris : Presses universitaires de France, 1985 [1932], p.293

Elliot Aronson. Le principe de cette méthode, c'est de demander à un groupe d'élèves d'apprendre ensemble des connaissances nécessaires à un examen à venir. On donne ensuite à chaque élève une partie des informations à apprendre (une pièce du puzzle) pour passer l'examen. Chaque élève doit donc, tour à tour, enseigner aux autres la connaissance qui lui a été confiée. Si un élève est ostracisé par les autres parce qu'il enseigne mal ou apprend mal, les autres sont incités, au besoin par un professeur, à s'occuper de lui, car tous ne peuvent enseigner et apprendre que si tous enseignent et apprennent correctement. Les expériences menées par Aronson et ses collègues dans plusieurs écoles ont montré que cette méthode réduisait l'hostilité entre élèves et les préjugés interethniques[1].

D'expérience, je sais que l'élève-éducateur apprend tout autant que l'élève-éduqué, parce qu'il doit structurer son savoir pour bien le transmettre. L'élève qu'il éduque peut également apprendre mieux parce qu'il ose poser des questions à son camarade qu'il n'osait pas poser à son professeur. Cette démarche favorise de surcroît l'humilité de l'élève-éducateur parce que, en situation d'éducateur, il se rend généralement compte qu'il ne sait pas tout. Elle présente en outre l'avantage de développer l'empathie et la fraternité des élèves, mais aussi la diversité et le commun, car elle fait participer tout le monde, et pas seulement les mêmes quatre ou cinq bons élèves. Contrairement aux systèmes qui récompensent l'acquisition de compétences, et qui ont tendance à confiner les élèves aux matières où ils sont les meilleurs, cette démarche favorise leur pluridisciplinarité. Enfin, elle remplace une atmosphère pédagogique de compétition, dans laquelle les élèves sont en concurrence

1. Cf. ARONSON Elliot, *The Jigsaw Strategy*, San Diego: Academic Press, 2002. Voir aussi www.jigsaw.org, un site Internet (en anglais) conçu pour populariser cette méthode.

pour avoir l'attention et l'approbation du professeur, par une atmosphère de coopération, où les élèves doivent prendre soin les uns des autres.

Je suis convaincu qu'il n'y a pas de mauvais élèves, mais seulement des élèves qui s'ennuient, soit parce qu'ils ne comprennent pas ce qu'on veut leur apprendre, soit parce qu'ils ont déjà compris. Comme le dit le philosophe américain Waldo Emerson, « une mauvaise herbe est une plante dont on n'a pas encore trouvé les vertus ».

Au final, tout le monde finit par être tour à tour enseignant et enseigné, car tout le monde est bon dans au moins un domaine. Et le fait d'apprendre des autres donne aux élèves l'envie d'enseigner à leur tour. C'est quelque chose que j'ai pu voir quand j'enseignais à l'université Paris VIII, mais aussi à Parthenay, quand j'ai développé « l'association des réseaux d'échanges réciproques de savoirs », sur le modèle de ce que faisait Claire Héber-Suffrin. Pour peu que les citoyens aient la possibilité de collaborer, ils partagent énormément. Il y a, dans n'importe quel quartier ou n'importe quel village, un réservoir immense de compétences et de talents inemployés. Plutôt que de proposer aux citoyens des services municipaux mal adaptés, il vaut mieux leur permettre de résoudre leurs problèmes eux-mêmes en favorisant leur collaboration entre eux et les échanges interpersonnels.

Là encore, l'horizontalité vaut mieux que la verticalité. Car elle promeut à la fois la liberté, la fraternité et l'égalité. Les pairs qui collaborent sont plus libres, plus fraternels et plus égaux que les usagers vis-à-vis d'un service central et impersonnel. En passant de la relation verticale maître-élève à des relations horizontales entre élèves et entre groupes, l'éducation devient moins une affaire d'instruction que d'échange. Éduquer consiste, désormais, à émanciper, autonomiser et vivre sans avoir besoin de tuteur.

Le principe d'éducation par les pairs repose sur un principe psychologique extrêmement simple et extrêmement primaire : le principe de « preuve sociale ». Selon ce principe, un individu tend à imiter ce que font ses semblables, notamment quand il est dans une situation d'incertitude. De fait, la vie quotidienne serait extrêmement éprouvante si chacun devait résoudre seul les problèmes qui se posent à lui en essayant toutes sortes de solutions, sans recourir à l'expérience accumulée par ses semblables.

Ce principe de « preuve sociale » s'est révélé sans doute si utile de par le passé, à l'époque où nous vivions en tribus, qu'il semble devenu une sorte de réflexe et se retrouve dans toutes les sociétés de la planète. Certes, dans certains cas, cette preuve peut conduire à des comportements moutonniers très irrationnels. Il suffit, dans une situation d'incertitude, qu'un individu ait l'air de savoir ce qu'il fait pour que de nombreux autres l'imitent, même si ce qu'il fait est parfaitement idiot. Cela étant, dans un grand nombre de cas, si beaucoup de gens font ou pensent quelque chose, c'est sans doute la meilleure chose à faire ou à penser.

Ce principe de preuve sociale est particulièrement fort chez les enfants, notamment parce qu'ils sont souvent dans des situations où ils ne savent quoi faire et quoi penser. Dans ce cas-là, ils peuvent se tourner vers leurs parents, mais ils se tournent surtout vers leurs semblables, à savoir les autres enfants présents autour d'eux.

Un grand psychologue américain, Albert Bandura, a montré que des enfants en bas âge ayant la phobie des chiens pouvaient vaincre cette peur rien qu'en regardant des vidéos, plusieurs jours d'affilée, montrant d'autres enfants en train de jouer avec des chiens. Après seulement quatre jours de visionnage, 67 % de ces enfants phobiques étaient prêts à rester dans un parc pour bébé avec un chien et à y rester jouer avec le chien quand bien même tout le monde quittait la pièce. Et quand les chercheurs ont testé la phobie de ces enfants un mois plus tard, ils ont découvert qu'avec le temps elle avait décru encore davantage. Plusieurs enfants souhaitaient même vivement jouer avec des chiens[1]. Il a été également prouvé que les campagnes contre la cigarette dans les écoles étaient plus efficaces quand les écoliers étaient sensibilisés par des pairs plutôt que par des adultes[2]. Et d'autres expériences ont montré que le meilleur moyen de faire changer les goûts alimentaires des enfants était de les mettre à table avec des enfants du même âge ayant des goûts différents[3].

On peut également recourir à une autre méthode, dite de la « classe inversée », que rend de plus en plus possible les MOOC (*Massive Open Online Course*, ou « formation en ligne ouverte à tous »). Alors que, traditionnellement, le maître fait cours dans sa classe avant d'envoyer les élèves faire leurs devoirs à la maison, les classes inversées voient le professeur proposer aux élèves de prendre connaissance, chez eux, d'un exposé enregistré ou d'une séquence illustrée, puis il les accueille en classe pour répondre à leurs questions et les accompagner dans la réalisation d'exercices ou de projets. L'enseignant-catalyseur change ainsi de métier : sortant de sa position de surplomb, il est désormais là de manière subsidiaire, pour faire émerger des contextes et pour y accompagner les élèves. Les expériences détaillées dans un livre récemment consacré au sujet sont extrêmement prometteuses, même s'il ne faut pas, comme le soulignent les auteurs, tomber dans la naïveté spontanéiste[4].

---

1. BANDURA Albert, GRUSEC Joan E., and MENLOVE Frances L., "Vicarious Extinction of Avoidance Behavior," *Journal of Personality and Social Psychology*, No. 5, 1967, pp.16–23
2. CIALDINI Robert B., *Influence: the Psychology of Persuasion*, rev. ed., New York: Collins business, 2007, p.142
3. GERSHON Michael, *The Second Brain: The Scientific Basis of Gut Instinct*, New York: HarperCollins, 1998
4. Cf. TAURISSON Alain et HERVIOU Claire, *Pédagogie de l'activité : pour une nouvelle classe inversée. Théorie et pratique du « travail d'apprentissage »*, Paris : ESF éditeur, 2015

Soulignons, à cet égard, que l'influence des pairs n'est pas systématiquement positive et qu'elle peut même se révéler très néfaste. On peut observer par exemple des cas où la tyrannie de la majorité peut empêcher un élève de parler à un professeur ou d'améliorer ses résultats sous peine d'être puni ou ostracisé par ses camarades. Quand on promeut l'horizontalité, il faut être toujours extrêmement attentif à cette pression sociale du groupe sur les individus, qui peut être parfois plus destructrice que la pression d'un chef. On ne saurait donc se passer du rôle régulateur du professeur-catalyseur pouvant casser les dynamiques de groupe négatives.

Sortir le savoir du binaire

Envisageons maintenant le statut et la dynamique de la science dans la nouvelle ère. Soi-disant indépendante et pure des intérêts individuels, la science est présentée depuis plus d'un siècle comme la garante du vrai. Auréolée d'un prestige quasi religieux, elle prétend pouvoir gouverner la société et la nature. Elle marque, dans le même temps, l'avènement de la civilisation des experts. La science est devenue la religion du monde moderne. Oswald Spengler a même fait remarquer que « le monde savant d'Occident a absolument la forme de l'Église catholique[1] ». La science a ses papes, ses grades, ses dignités, sa hiérarchie, ses sacrements, etc. Hier, la langue savante était le latin, aujourd'hui ce sont les mathématiques, toutes les sciences étant prises dans le vertige de la quantification – y compris les sciences humaines. Mais toujours, quoi qu'il en soit, la science n'est compréhensible qu'aux seuls initiés.

---

1. SPENGLER Oswald, *Le déclin de l'Occident, Esquisse d'une morphologie de l'histoire universelle.Deuxième partie : Perspectives de l'histoire universelle*, Paris : Gallimard, 1967, p.318

Après des siècles de domination des mythes et des croyances religieuses, la science est devenue le langage de la connaissance et du pouvoir. Le positivisme pénètre partout, notamment grâce à la propagation des techniques, qui rendent les innovations scientifiques accessibles au commun des mortels. La rationalité instrumentale est ainsi aujourd'hui extrêmement prégnante qui conçoit les êtres et les choses comme des machines, recherche l'efficacité et se pose essentiellement la question des moyens et des fins. Cet imaginaire, peut-on regretter avec Georges Canguilhem, intronise « l'homme asservi par la raison et non le règne de la raison en l'homme[1] ».

La technocratie, qui fait son apparition aux États-Unis dans les années 30, envisage explicitement de soumettre le gouvernement des individus à l'intelligence technique et scientifique. Elle pense la société comme un ensemble de rouages, comme une machine dont il est possible de trouver les meilleurs réglages. Or, précisait très justement Max Weber trois décennies plus tôt, « le trait caractéristique d'un problème de *politique* sociale consiste précisément dans l'impossibilité de le résoudre sur la base de simples considérations techniques fondées sur des fins établies[2] ». Autrement dit, la question du pouvoir n'est pas soluble dans la technique ; on ne peut robotiser l'ensemble des fonctions sociales.

La science moderne doit donc renoncer à élaborer une science générale de la société et à inventer une « machine à gouverner[3] », selon l'expression de Dominique Dubarle.

---

1. CANGUILHEM Georges, « Milieu et normes de l'homme au travail », in *Cahiers Internationaux de Sociologie*, Vol III, 1947, pp.120-136, p.122
2. WEBER Max, « L'objectivité de la connaissance dans les sciences et la politique sociales » (1904), in *Essais sur la théorie de la science*, trad. de l'allemand et introduits par J. Freund, Paris : Plon, 1965, pp.117-213, p.128
3. DUBARLE Dominique, « Une nouvelle science : la cybernétique. Vers la machine à gouverner ? », *Le Monde*, 28 décembre 1948

Les utopies qui ont essayé de construire des sociétés de toutes pièces ou de les gouverner selon des lois scientifiques ont été des échecs – le communisme étant peut-être le plus retentissant et le plus symbolique de ces désastres politiques. L'idée demeure néanmoins que la science peut régler les problèmes sociaux, qu'il s'agisse de la faim dans le monde, de la violence, de l'échec scolaire ou des pandémies. Je pense, au contraire, que la science doit être plus modeste, et les citoyens ne doivent pas systématiquement se déposséder de leurs capacités au profit des experts. Je crois, bien au contraire, que chaque citoyen est un expert.

La science n'a pas réponse à tout. C'est notamment vrai des sciences humaines. Même si la psychologie, la sociologie, la démographie, l'économie ou encore la géographie sont des sources extraordinaires de réflexion, c'est à chacun, chaque jour, qu'il incombe de donner sens au monde et à son existence. La science moderne a été instituée par Descartes et Newton comme fondamentalement séparée du monde de la vie et des valeurs. Il y a, désormais, le monde sensible où nous vivons, et le monde géométrique, où l'homme cherche en vain sa place. Comme l'écrit le philosophe des sciences Alexandre Koyré, « c'est en cela que consiste la tragédie de l'esprit moderne, qui a résolu l'énigme de l'univers pour la remplacer par une autre : l'énigme de lui-même.[1] »

De nos jours, alors que la science semble plus hégémonique que jamais et que les technologies numériques deviennent omniprésentes, il faut souligner les dangers de la science sans conscience et trop sûre d'elle. Je me permets par exemple de rappeler qu'une théorie n'est scientifique que dans la mesure où elle est réfutable ; elle ne peut donc être certaine. Un bon scientifique est rarement pétri de certitudes. C'est au contraire quelqu'un qui doute de la véracité de ses affirmations, et qui sait comme nos certitudes ne sont

1. KOYRÉ Alexandre, *Études newtoniennes*, Paris : Gallimard, 1968, p.21

souvent que le reflet de nos espoirs et de nos désirs. En ce sens, un bon scientifique est aussi un philosophe.

Avec l'apparition de la théorie quantique et de la théorie du chaos, la science a été appelée à se réformer en profondeur. Cette réforme, hélas, tarde à se concrétiser. Par-dessus tout, les scientifiques devraient abandonner la pensée binaire selon laquelle « c'est soit vrai soit faux », qui prévaut aujourd'hui même dans les sciences humaines. Il leur faudrait aménager, dans leurs doctrines, une place au doute et à l'ambivalence. Ils devraient peut-être, en d'autres termes, se faire un peu plus intuitifs et un peu moins dogmatiques.

L'un des biais dont doit sortir la science moderne, c'est ce que Georges Friedman appelait le « cancer de la spécialisation[1] ». Les disciplines scientifiques n'ont de cesse, depuis un siècle, mais surtout depuis quelques décennies, de se subdiviser en sous-disciplines et en sous-sous-disciplines. La sociologie générale, par exemple, n'existe plus. Nous avons à la place une juxtaposition de sphères de recherches (la sociologie rurale, la sociologie du travail, la criminologie, la sociologie du droit, etc.) qui communiquent à peine entre elles, même dans un petit pays comme la France. Cette sur-spécialisation empêche les vues globales de la société et elle contribue à couper encore davantage le savoir savant du monde profane.

La science doit également retrouver le sens du collectif et penser en termes de boucles de rétroaction, plutôt que de privilégier l'atomisme et l'analyse segmentaire. De fait, l'idéologie de la science moderne fait de l'atome ou de l'individu le principe causal de presque toutes les propriétés des ensembles.

La pensée scientifique est fondamentalement analytique : elle procède en découpant le monde en petits morceaux

1. FRIEDMANN Georges, *La Crise du progrès : esquisse d'histoire des idées, 1895-1935*, 3e éd., Paris : Gallimard, 1936, p.13

qu'elle examine les uns indépendamment des autres et construit, sur cette base, de grandes dichotomies : l'individuel et le collectif, l'interne et l'externe, le vide et le plein, etc. Et il ne lui reste plus qu'à classer ces petits morceaux de monde dans des cases hermétiques. Le biologiste américain Richard Lewontin dénonce par exemple cette tendance dominante en biologie qui consiste à voir dans les gènes le facteur déterminant de la vie des organismes et à consacrer le gros des budgets scientifiques à leur décodage, au détriment d'autres champs de recherche. « Selon cette vue, ce sont vraiment nos gènes qui se propagent à travers nous[1] » et nous ne sommes plus, dès lors, que de simples véhicules pilotés par notre ADN.

Gardons-nous toutefois de jeter le bébé avec l'eau du bain. Je ne me rallie pas au constat d'une faillite de la science, en vogue depuis Husserl et Heidegger. Je crois toujours en la vérité et en l'objectivité. Seulement, je ne confonds pas science et vérité, ni calcul et pensée. Je n'attends pas de la science qu'elle me livre toute faite la compréhension de l'univers et de la vie, mais je n'ai pas renoncé à apprendre d'elle, loin de là, et je me plonge toujours avec gourmandise dans des ouvrages de biologie, de paléontologie, d'histoire et de philosophie. La savoir n'est pas soit aliénant soit émancipateur, il est toujours à la fois l'un et l'autre. À nous d'en tirer le meilleur parti et d'en atténuer les effets néfastes.

Pour ce faire, la science doit se faire plus modeste, plus intuitive, plus incertaine et plus subjective. En un mot, la science doit se faire plus philosophique. Il faut ré-enchanter la science, plutôt que de vouloir à toute force l'expurger de toute transcendance et de toute émotion. Depuis Descartes, la science a instauré une séparation catégorique entre le corps et l'esprit, le matériel et le spirituel, le rationnel et

1. LEWONTIN Richard C., *Biology as Ideology: The Doctrine of DNA*, New York: Harper Perennial, 1993, p.13

l'irrationnel. C'est cette pensée binaire que nous devons combattre sans relâche. Le scientifique doit savoir se faire chaman. De fait, comme l'écrit le neurologue Antonio Damasio, « il est probable que la capacité d'exprimer et ressentir des émotions fasse partie des rouages de la raison pour le pire *et* pour le meilleur.[1] » Nous ne sommes pas que des êtres de raison, nous sommes également des êtres d'émotions.

Ainsi, les individus, et notamment les enfants, doivent apprendre à cultiver leurs capacités émotionnelles et leur esprit de finesse. Celui qui est dans la rationalisation excessive devient un contrôleur : il rapporte des évaluations chiffrées à des objectifs chiffrés, et ne va guère plus loin. Celui qui est plus intuitif devient en revanche un catalyseur : il sait comprendre la musique des sentiments et tirer le meilleur de chacun. En cette matière, comme en beaucoup d'autres aujourd'hui, les femmes ont un avantage : elles sont vraisemblablement à l'écoute de leur corps davantage que ne le sont les hommes, notamment quand elles ont leur menstruation ou qu'elles tombent enceintes. Mais tout le monde, aujourd'hui, devrait apprendre à se mettre à l'écoute de son corps et des émotions des autres.

L'éducation est particulièrement touchée par la dichotomie cartésienne instaurée entre le corps et l'esprit. Tête bien pleine pour les uns, tête bien faite pour les autres, l'éducation est presque toujours vue comme un mécanisme d'engrangement de connaissances, plutôt que comme une acquisition d'aptitudes, de capacités et de dispositions. Pis, l'éducation est considérée, de manière instrumentale, comme la production de ressources humaines devant prendre leur place dans la grande division sociale du travail. Ainsi que le regrette le pédagogue Philippe Meirieu, « l'utilisation incantatoire et

1. DAMASIO Antonio R., *L'Erreur de Descartes : la raison des émotions*, trad. de l'anglais (États-Unis) par M. Blanc, Paris : O. Jacob, 1995, p.8

systématique du mot « compétence » dans les programmes scolaires signe l'incapacité de l'école à mobiliser les élèves sur de vrais enjeux culturels au profit des critères de la simple employabilité[1] ».

À mon sens, et je suis loin d'être le seul à penser cela, il ne faut pas apprendre des compétences et des savoir-faire, mais favoriser des comportements, des dispositions et des principes, développer la curiosité, le goût d'apprendre, la prise de risque, l'échange, l'ouverture à l'autre. Le philosophe John Dewey a par exemple avancé que « la formation d'attitudes durables peut être et est souvent un effet de l'apprentissage plus important que la leçon d'orthographe, de géographie ou d'histoire. Car ce sont ces attitudes qui importent pour l'avenir.[2] »

L'école doit enseigner des savoir-être qui permettent à l'enfant d'évoluer au rythme de sa société, et non des savoir-faire à obsolescence rapide. Savoir être, c'est ainsi avoir l'intelligence des situations, être inventif et faire preuve d'adaptation créative. L'école doit donc être à l'image des écoles normales, où l'on n'apprend pas essentiellement des savoir-faire mais la pédagogie. Notons à cet égard que, outre le savoir-faire et le savoir-être, le faire savoir est aussi important. Par-là, je veux dire la conversation, la communication et la capacité à se rendre transparent vis-à-vis des autres.

De même qu'il faut sortir la science de la logique binaire et du dogmatisme, il faut introduire la dimension du doute dans l'éducation. Il est ainsi important d'apprendre aux enfants à se défaire de leur besoin de certitudes. De très grands pédagogues, tels que Célestin Freinet et John Dewey, ont montré que la pensée naît de l'action et que le tâtonnement est une loi fondamentale de l'existence.

---

1. MEIRIEU Philippe, *Le Plaisir d'apprendre*, Paris : Autrement, 2014, p.38
2. DEWEY John, *Experience and Education, The Kappa Delta Pi Lectures*, London: Collier Books, 1963, p.48

C'est ce que l'on nomme aujourd'hui la *sérendipité* : le fait de découvrir quelque chose de manière inattendue, suite à un concours de circonstances, tandis que l'on cherchait autre chose. Prenez le cas d'Internet. Tim Berners-Lee, l'un des chercheurs du CERN, un des plus importants laboratoires de physique du monde, a inventé Internet presque par hasard, en faisant de son ordinateur le premier serveur Web afin de permettre aux physiciens de pouvoir échanger des informations et des données. J'ai eu la chance de découvrir, en 1990, l'invention de Tim en allant visiter le CERN, et alors que je pensais repartir avec une meilleure compréhension des trous noirs et de la formation de l'univers, je suis reparti avec l'idée de faire une ville numérique.

Autre tâche majeure du professeur : développer chez l'élève la confiance en soi. La note, en ce sens, ne doit être qu'un référentiel servant à mesurer un progrès. En aucun cas elle ne doit être un instrument de jugement qui assigne à l'élève une place dans une hiérarchie et lui donne une image de lui-même qui peut être dévalorisante. L'élève qui a une mauvaise note, de fait, se dit qu'il est nul ou que c'est injuste, et en aucun cas la note ne l'aide.

C'est l'un des paradoxes de l'école que nous devons surmonter si nous voulons l'adapter à la nouvelle ère : l'éducation est une condition de l'émancipation, et en même temps les notes et les diplômes récompensent le conformisme. C'est absurde ! À l'université Paris VIII, je faisais travailler les élèves par petits groupes et je laissais chacun se noter et noter les autres.

À l'école, il faut également faire prendre conscience aux élèves qu'ils sont tous différents, et que c'est tant mieux. Comme disait Walter Lippmann, « là où tout le monde pense pareil, personne ne pense beaucoup. » Ce n'est pas au professeur d'imposer du commun, en uniformisant les élèves, mais ce sont les élèves qui, à mesure qu'ils prendront conscience de leurs différences, construiront eux-mêmes du commun.

L'un des moyens de favoriser cette diversité dans les classes est d'y scolariser des enfants handicapés et autistes. Les expériences ayant cours de scolarisation d'enfants handicapés dans des écoles normales donnent des résultats extrêmement encourageants. Comme pour le cas de la co-éducation, cela favorise l'empathie et l'ouverture des enfants tout en atténuant les écarts scolaires et les violences.

Nous le voyons, comme dans le cas de la réforme de l'entreprise et de la refonte de l'État, les pistes de rénovation de l'école sont nombreuses et demandent peu de moyen. Là comme ailleurs, la principale évolution doit se faire dans les esprits. Ce n'est qu'à ce prix que nous permettrons aux germes de la nouvelle ère de porter tous leurs fruits.

IV.

Cultiver les germes prometteurs

11.
Une nouvelle génération

La génération du « pourquoi ? »

Réformer les institutions et les règles existantes ne suffit pas, il faut également promouvoir les germes de la nouvelle ère les plus féconds et les plus prometteurs. Le premier de ces germes, c'est la nouvelle génération, née dans les années 80 et 90, que l'on a coutume de nommer génération Y (jeu de mot sur la phonétique anglaise du Y, prononcé *why*, « pourquoi »).

Comment caractériser cette génération ? Tout d'abord, elle est pragmatique et inductive. Elle progresse par essais et erreurs plutôt qu'en suivant un mode d'emploi pré-écrit. Elle privilégie la coopération à la subordination, l'instantanéité à la planification, le réseau tribal à la pyramide bureaucratique et le pourquoi au comment.

La jeunesse est aujourd'hui à l'honneur. Loin d'être un moment de la vie que l'on souhaite rapidement quitter pour entrer dans l'âge adulte, l'adolescence est devenue l'objet de toutes les intentions et de tous les désirs. Le nouveau mot d'ordre est : « il faut rester jeune ». La société tout entière semble angoisser à l'idée de vieillir et ne plus être à la page. Le grand âge n'est plus une promesse de sagesse, mais une menace de maladie et de sénilité. Chacun semble en lutte perpétuelle contre la dégradation de ce corps qu'il faut entretenir et sans cesse réparer.

Si la jeunesse est aujourd'hui si courtisée et valorisée, c'est sans doute que nous sentons confusément que notre époque est la première de l'histoire durant laquelle l'humanité va devoir opérer des changements drastiques. En ce sens, la jeune génération porte à la fois d'immenses espoirs et de très grandes responsabilités. Alors qu'aux époques passées les jeunes devaient, peu ou prou, se contenter de perpétuer l'ordre existant, cette génération a la charge d'opérer une profonde évolution des modes de faire et de penser.

En outre, cette génération semble extrêmement différente de celle qui l'a précédée. Tout d'abord, c'est la génération des *digital natives*, qui a grandi au moment où l'usage d'Internet se généralisait. Le numérique est leur royaume et le Net leur environnement naturel. Ensuite, cette génération est mondialisée. Elle n'est pas devenue mondiale, elle est née ainsi.

Dans ma génération, nous nous sommes pensés comme européens ; l'Europe était notre horizon de pensée politique. Aussi, quand je me suis engagé en politique, il m'a semblé naturel de vouloir travailler à ce niveau supranational, et c'est ce qui m'a conduit à être député européen de 1989 à 1994. Les membres de cette nouvelle génération, en revanche, ne se vivent pas comme français ou comme européens, mais comme citoyens du monde. Ce qui fait commun, pour eux, c'est la planète entière. C'est la noosphère. C'est le World Wide Web.

Cette génération est également dans la synthèse plutôt que dans l'analyse. Les jeunes se fient plus à l'émotion qu'à la déduction logique. Typiquement, ils font tout en même temps, tandis que leurs aînés tendent à décomposer leur emploi du temps entre le travail, la formation et les loisirs. Je vois cela avec mon jeune fils de douze ans : il pianote sur son téléphone tout en discutant en ligne avec un ami et en faisant une recherche sur Internet. Je suis, pour ma part, bien davantage dans le séquentiel : je fais généralement les choses les unes après les autres. Mais lui, pas du tout !

Cette génération se caractérise aussi, il me semble, par sa créativité. À tout prendre, le pouvoir paraît moins les intéresser que la *création*. On assiste là à la « démocratisation du génie[1] » que Daniel Bell avait annoncée dès la fin des années 70. Dans cette perspective, tout le monde peut désormais être un artiste. Et les jeunes ne s'en privent pas.

Plongée depuis sa naissance dans un monde complexe, imprévisible, où les interactions sont nombreuses et sans difficultés, la jeunesse est dans le pourquoi davantage que dans le comment. Ou plutôt, elle se pose la question de l'ancien Grec : « qu'est-ce que ça veut dire ? » Bref, elle se pose la question du sens.

Quand on est dans le pourquoi, comme je l'ai déjà dit, on est dans l'effectual plutôt que dans le prédictif. Le but n'est pas posé d'évidence avant que l'on se soit mis en marche. Les jeunes ne savent pas où ils vont. L'avenir est ouvert et incertain. Ils ne suivent pas un plan écrit ou un schéma de vie routinier qu'ils ont hérité de leurs parents ou de leurs professeurs. Leur monde n'a pas à être reçu, il doit être construit. Cela suppose de se demander où l'on va et pourquoi on y va.

C'est quelque chose que l'on voit bien à l'œuvre dans la sphère du travail. La jeune génération ne veut pas passer sa vie au bureau ou dans la même entreprise. Les jeunes veulent pour beaucoup se réaliser en dehors du travail, pouvoir bénéficier de plannings flexibles, travailler de chez eux, changer régulièrement de projets et de collègues. Au travail, la plupart ne souhaient pas faire de tâches répétitives et travailler selon des protocoles tayloristes. Ils veulent

1. BELL Daniel, *The Cultural Contradictions of Capitalism*, New York: Basic Books, 1978 [1976], p.131

au contraire pouvoir créer et participer. Ces changements s'inscrivent dans une mutation générale des sociétés occidentales, qui voient la durée moyenne de la journée de travail diminuer continûment depuis le milieu du XIXe siècle. Ils correspondent également à une économie de plus en plus instable.

En même temps, cette génération n'a pas complètement abandonné la question du comment, bien évidemment. Elle est très imprégnée de rationalité instrumentale et s'intéresse beaucoup à la technique. C'est la génération qui a vu la naissance des *makers* (de nouveaux bricoleurs et inventeurs qui bidouillent des objets technologiques souvent très ingénieux) et la propagation du DIY (*do it yourself*, « fais-le toi-même »).

Comme en témoignent ces nouvelles tendances, ces manières de faire laissent une place importante à l'improvisation et à la sérendipité. Ceux qui font sont rarement des experts patentés, mais plutôt des amateurs débrouillards. Chez eux, la logique du plan pré-écrit n'a plus court. Elle a été remplacée par celle de l'essai-erreur, où l'on progresse en corrigeant pas à pas ce qui ne fonctionne pas. Le test de validité de ces nouveaux inventeurs, ce n'est pas « est-ce que c'est conforme au plan ? », mais « est-ce que ça marche ? »

Une autre spécificité de cette génération, c'est qu'elle privilégie l'usage à la possession. Je disais plus tôt que le fait de posséder un bien tend à importer beaucoup moins que la possibilité d'y avoir accès. C'est d'autant plus vrai pour la jeune génération. Les jeunes d'aujourd'hui ne sont pas des rentiers, au sens où ils ne sont pas dans la conservation du passé et dans l'entretien de propriétés stables. Ce sont des producteurs et des créateurs qui pensent au présent et qui capitalisent sur l'avenir. Ils sont adeptes de la location ponctuelle d'un appartement ou d'une maison pour les vacances, du *leasing* et du covoiturage.

La jeune génération est dans le partage et dans la solidarité. Nous sommes à l'âge de l'accès dans ce sens aussi : nous avons accès à autrui beaucoup plus facilement. Certes, il peut arriver qu'Internet renforce l'isolement et le repli dans sa grotte virtuelle. Mais grâce au fil numérique, les jeunes ne se quittent plus. Le contact avec les autres n'est jamais rompu. La tribu des copains est toujours présente.

La jeune génération est ainsi très fortement marquée par la solidarité entre pairs et l'engagement dans les relations sociales. Comme le relèvent deux sociologues français, l'amitié figure au plus haut des valeurs encensées par les jeunes[1]. Aussi surprenant que cela paraisse, les études sur l'opinion des jeunes montrent qu'ils accordent une grande importance à l'amour, au couple et à l'engagement dans le long terme. La fidélité reste l'une de leurs valeurs cardinales et un grand nombre aspire à une vie de famille épanouie.

La connectivité permanente peut même susciter une angoisse de la séparation. Certains jeunes ont du mal à éteindre leur téléphone. De nouvelles pathologies sont même récemment apparues, comme la nomophobie (peur de perdre son téléphone) ou le « Fomo » (*Fear of missing out*, autrement dit la peur de rater une information essentielle sur les réseaux sociaux, qui vous fait consulter en permanence votre page Facebook, Instagram ou Tweeter).

Dans notre nouvelle économie de l'attention, les jeunes semblent toujours rechercher le regard des autres. La transparence, dans ce cas, peut hélas virer à la surveillance et à la superficialité. De fait, comme nous le disions précédemment à propos de l'économie de l'immatériel, les symboles tendent à devenir plus importants que les objets. C'est particulièrement vrai pour la nouvelle génération, qui accorde

1. ROUDET Bernard et TCHERNIA Jean-François, « L'amitié, une valeur toujours centrale », in GALLAND Olivier et ROUDET Bernard, *Les Valeurs des jeunes depuis 20 ans*, Paris, L'Harmattan, 2002, pp.47-59

souvent plus d'importance aux images qu'aux textes. L'image est même devenue la *lingua franca* des réseaux d'adolescents sur le Net. Ce qui peut avoir pour effet néfaste d'introniser le règne du paraître et la mise en scène de soi.

C'est ainsi à qui aura les photos les plus belles, dans les plus beaux décors. Les enfants et les adolescents ont l'obligation de se montrer, et celui qui n'est pas transparent est perçu comme ayant quelque chose à cacher. Plus encore, un sentiment ou une pensée semblent ne pas avoir de réalité tant qu'ils n'ont pas été partagés sur les réseaux. Selon une sociologue française spécialiste de cette génération, « créer un fan-club autour de soi, voilà l'affaire. La popularité se gagne *via* la mise en ligne de son roman personnel : portraits, musiques et écrits, notification de ses contacts et de ses univers d'appartenance.[1] »

Pour l'anthropologue américaine Sherry Turkle, qui étudie les relations des enfants aux ordinateurs au Massachusetts Institute of Technology (MIT) depuis près de trente ans, quelque chose a changé ces dernières années. La technologie occupe dans la vie des enfants et des adolescents une place désormais centrale. Outil de quantification généralisé, Internet les invite à tout réduire en chiffres. Ainsi mesurent-ils par exemple le succès en termes de « likes » et d'« amis » sur Facebook. L'identité se constitue sous la forme de listes : listes de groupes de musique préférés, des films préférés, des meilleurs amis, etc. « Les années durant lesquelles on construit son identité deviennent une simple tâche de production de profils[2] », regrette-t-elle ainsi. Et gare à celui qui n'est pas populaire, car les moqueries et le harcèlement sont monnaie courante sur les réseaux sociaux.

---

1. DAGNAUD Monique, *Génération Y : les jeunes et les réseaux sociaux, de la dérision à la subversion*, 2 éd. revue et augmentée, Paris : Presses de Sciences Po, 2013, p.35
2. TURKLE Sherry, *Alone Together: Why We Expect More From Technology and Less From Each Other*, New York: Basic books, 2011, p.182

La liberté promise à l'individu moderne peut donc se révéler fort contraignante. L'idéal de réalisation de soi exacerbe les discordances entre ce qui est désiré et ce qui est obtenu, entre l'imaginaire et le réel, entre les aspirations et le vécu quotidien.

La nouvelle génération est donc fortement « extro-déterminée », pour reprendre le terme du sociologue américain David Riesman. Celui-ci distinguait en effet, en 1950, des individus « intro-déterminés », qui obéissent généralement à la tradition et à l'autorité, et des individus « extro-déterminés », dont l'attitude est surtout orientée par les pairs et par l'environnement. Si cette seconde catégorie de personnes subit moins le poids de ses aînés, elle est plus dépendante de ce que ses pairs pensent d'elle. Ainsi, note le sociologue, « l'enfant extro-déterminé apprend dès l'école à prendre sa place dans une société où le groupe s'intéresse moins à ce qu'il produit qu'aux relations humaines en son sein – c'est-à-dire à son moral.[1] » Au sein de ces groupes, la sécurité est obtenue moins par la possession d'une compétence spécialisée et rare que par la maîtrise de toute une gamme de préférences de goûts et de leurs modes d'expression.

Dans les sociétés modernes, les principales compétences que l'on attend des individus sont des capacités relationnelles. Quand les trois quarts des emplois sont concentrés dans le secteur des services, le premier savoir-faire que l'on requiert des jeunes entrants sur le marché du travail est une capacité à entretenir des relations humaines intelligentes et transparentes, à communiquer et à gérer des équipes. Ce que l'on demande aux jeunes, autrement dit, ce sont des qualités humaines davantage que des compétences techniques.

---

1. RIESMAN David, *La Foule solitaire : anatomie de la société moderne*, Paris : Arthaud, 1964 [1950], p.100

Si une grande part de la production est désormais automatisée ou en voie de l'être, le secteur des services demande de la part des employés des capacités d'improvisation, d'adaptation et de conciliation. Les jeunes deviennent ainsi des spécialistes des relations humaines, des relations publiques et de la communication.

Génération instantanée

Nous avons vu des sociétés primitives qu'elles vivent dans l'instantanéité d'un éternel présent. Habitant un temps cyclique, elles n'entretiennent aucune distance vis-à-vis de leur passé et de leur avenir. La jeune génération est également dans cette instantanéité. Elle a grandi dans un monde où les données voyagent à la vitesse de la lumière et où le travail est réalisé « juste-à-temps ». Seulement, à la différence des peuples tribaux, elle a besoin de sens. Éprouvant dans leur chair le sentiment d'imprévisibilité, les jeunes se posent très sérieusement des questions existentielles et philosophiques. Ils ne reçoivent pas le monde comme un donné à reproduire sans se poser de question, mais ils se demandent perpétuellement « pourquoi ? ».

Les jeunes ressemblent, par certains côtés, à ces bouddhistes qui pratiquent le mandala, passant de longues heures à dessiner avec du sable de couleur, pour ensuite effacer leur dessin une fois celui-ci terminé. Ainsi sont-ils, comme ces moines, dans une immédiateté éphémère qui ouvre sur un questionnement philosophique fondamental.

Les jeunes ne sont donc pas sommés de reproduire un ordre institué mais de s'adapter à une réalité dont l'ordre apparent est sans cesse perturbé par les innovations technologiques, les crises économiques, les bouleversements politiques et les événements climatiques. Le monde actuel donne en effet l'impression de n'être ni géré ni gérable. À la providence divine d'avant-hier et à la sagesse des souverains d'hier a succédé une litanie de désastres devant lesquels nos gouvernants semblent souvent rester impuissants.

L'avenir n'a jamais été aussi ouvert. Le déterminisme n'a plus cours. Jamais l'espèce humaine n'a paru faire autant son histoire. Jamais les fils et les filles d'une époque n'ont été aussi libres de construire leur destin. Et en même temps, jamais jeune génération n'a connu autant d'incertitudes quant à son avenir. Certains jeunes prennent cela comme une promesse de liberté, mais beaucoup y voient au contraire une source de préoccupations. Une étude récente menée par l'Unicef auprès d'adolescents français a montré que près de la moitié des sondés se sentent angoissés à l'idée de ne pas réussir[1].

Prise dans les remous de cette réalité fluctuante, la jeune génération est louée pour ses capacités d'adaptation et d'anticipation. On n'attend d'elle aucun conformisme, mais au contraire une réactivité perpétuelle. Le court-terme et les changements fréquents induisent de nouvelles manières d'organiser le temps personnel et le temps de travail.

Dans le monde du travail, la spécialisation flexible de la production donne une place prépondérante aux demandes changeantes du monde extérieur, qu'on laisse de plus en plus déterminer la structure intérieure des institutions et les rythmes de travail. Les horaires variables (*flextime*) peuvent être loués comme une preuve d'adaptation aux demandes de liberté des jeunes, sauf qu'ils sont généralement décidés par les employeurs plutôt que par les employés. Et quand ce sont les employés qui les choisissent, ils sont souvent accordés comme un privilège, et non considérés comme un droit.

Sommées de se réinventer en permanence, de se « ré-engineerer », les organisations tendent à recruter davantage des travailleurs intérimaires et en CDD au détriment des CDI.

1. « Près de la moitié des ados français en état de "souffrance psychologique", selon l'Unicef », *Le Monde*, 23 septembre 2014

Aux États-Unis et en Grande Bretagne, le travail temporaire est le secteur d'emploi en plus forte progression. Il y représente environ un dixième de la force de travail. Ainsi, selon le sociologue américain Richard Sennett, un jeune Américain qui a fait au moins deux ans d'études supérieures changera d'emploi en moyenne onze fois dans sa vie et renouvellera sa formation au moins trois fois[1]. La jeune génération est en ce sens beaucoup plus marquée par le provisoire et la mobilité que celle qui l'a précédée.

Les manuels de gestion font de nécessité vertu en promouvant la flexibilité, mais il ne faut pas ignorer que ce principe est gros de risques et d'angoisses. La mobilité, la flexibilité et l'adaptabilité ne sont pas de qualités en soi. Elles peuvent être, au contraire, de redoutables maux. De même, l'accent mis sur le court-terme est générateur de stress et conduit à survaloriser la performance, au détriment d'autres principes d'action non moins importants, tels que la constance, la réflexion et la patience.

Pour les jeunes, l'injonction à être flexible, mobile, adaptatif et malléable peut rendre difficile leur engagement au service d'une cause ou dans une relation suivie. Cela peut également miner leur loyauté à l'égard des organisations et des personnes. Bref, cela peut créer des êtres instables, sans attache, sans détermination et sans constance, enfermés malgré eux dans une mentalité d'adolescent.

De tels individus peuvent avoir des difficultés à s'inscrire dans un espace et dans une histoire qu'ils ne font que traverser au pas de course. Ils peuvent se sentir moins liés à leur famille et au lieu où ils vivent qu'à ceux qu'ils choisissent de côtoyer en ligne. « Surfant » sur la surface des choses, faute de temps et de perspectives, ces personnes sont privées de

---

1. SENNETT Richard, *Le Travail sans qualités : les conséquences humaines de la flexibilité*, trad. de l'anglais par P.-E. Dauzat, Paris : Albin Michel, 2000 [1998], p.24

la joie simple et nécessaire de l'approfondissement et de la construction dans la durée.

De fait, la plupart des gens souhaitent s'inscrire dans des communautés, valorisent leurs expériences passées et aiment s'investir durablement dans les activités qu'ils entreprennent de manière à les maîtriser. Comme l'a montré le psychologue social américain Solomon Asch, au terme de ses recherches sur le conformisme et les comportements de groupe, « l'ego n'est pas fondamentalement égocentrique. L'ego n'est pas consacré uniquement à son amélioration personnelle. Il a besoin et veut être concerné par son environnement, être lié aux autres et travailler avec eux.[1] »

Une démocratie ne peut fonctionner si ses citoyens ne se sentent pas affectés par les décisions politiques. Une vie publique animée et génératrice de sens a besoin de participants engagés, pas de consommateurs volatiles et de producteurs temporaires. L'individu responsable et créateur ne peut être un simple tuyau à travers lequel le monde va et vient sans qu'il se l'approprie et le transforme. Il ne saurait y avoir de vraie démocratie sans citoyens.

Force est de constater, en la matière, une grande indifférence des jeunes à l'égard de la politique. Selon un sondage cité par Monique Dagnaud, 71 % des jeunes ne « font confiance ni à la droite ni à la gauche pour gouverner », un chiffre qui atteint des sommets chez les jeunes non diplômés (74 %) ou au chômage (79 %)[2]. Certes, on me répondra que les jeunes ne sont pas dépolitisés, mais qu'ils ne trouvent tout simplement aucun intérêt aux joutes politiciennes auxquelles se résume trop souvent la vie politique française. C'est indéniable. Les jeunes ne pensent pas en termes de « droite » et de « gauche » mais en termes d'« autoritaire »

1. ASCH Solomon E., *Social Psychology*, New York: Prentice-Hall, 1953, p.320
2. DAGNAUD Monique, *Génération Y*, op. cit., 2013, p.115

et de « coopératif ». Et l'on pourrait ajouter que les jeunes s'engagent dans la vie publique de bien d'autres manières, à travers le travail associatif et les réseaux sociaux. Mais ce désenchantement à l'égard de la politique me semble tout de même très préoccupant.

Les jeunes courent également le risque de la schizophrénie et du déficit attentionnel, eux qui utilisent de multiples profils, comptes et identité provisoire pour accéder à divers espaces sociaux virtuels. Comme l'écrit Jeremy Rifkin à propos des membres de la « génération.com », « leur absence d'enracinement dans des expériences de socialisation durables et stabilisatrices et leur faible capacité de concentration à long terme risquent de les priver du cadre de référence cohérent qui pourrait leur permettre d'interpréter et de s'adapter au monde qui les entoure.[1] »

Du fait de la rapidité des évolutions techniques et sociales, les jeunes ne sont plus des « héritiers ». Ils n'héritent pas d'un monde tout fait, mais ils entrent dans un monde à faire avec, à leur disposition, des outils qu'ils manient souvent mieux que leurs parents.

Cette vie dans l'immédiateté a l'avantage de faire vivre cette génération au rythme de l'histoire mondiale, comme si elle suivait le pouls du monde en temps réel. Mais n'oublions pas que l'immédiateté peut présenter l'inconvénient de renforcer le binaire : c'est oui ou non, maintenant ou jamais, « like » ou pas « like ». Vivre dans un monde de spots de neuf secondes n'est pas propice à la réflexion. Je vois cela avec mon fils et ses amis : accoutumés à avoir accès instantanément à toutes sortes de contenus, ils n'ont pas toujours une très grande capacité de concentration.

Ainsi, paradoxalement, alors que cette génération va devoir faire des choix fondamentaux et inventer des solutions radicalement différentes aux nôtres, elle semble n'avoir

---

1. RIFKIN Jeremy, *L'Age de l'accès*, op. cit., p.22

jamais le temps de s'asseoir et de réfléchir cinq minutes. La spontanéité a ses vertus, mais aussi ses inconvénients.

Il faut tirer le meilleur de la spontanéité et de la vitalité des jeunes, tout en en corrigeant les effets néfastes. Il peut être bon, dans cette perspective, de contrebalancer les effets néfastes de l'instantanéité en permettant aux jeunes de se réinscrire dans la durée. C'est dans cette perspective que je proposais, discutant de la réforme du système éducatif, de donner une plus large place à l'histoire et de reconnecter la jeune génération avec celles qui l'ont précédée.

Cette génération sait, mieux que les précédentes, saisir instantanément les libertés que lui offre son environnement. Je ne veux pas dire par là qu'elle est opportuniste, mais qu'elle fait davantage les choses suivant les occasions qui se présentent à elle, plutôt que de répéter l'ordre immuable d'une tradition ou de suivre un programme pré-écrit.

Pour les jeunes d'aujourd'hui, il faut savoir profiter des hasards de la vie et s'appuyer sur les opportunités qui s'offrent à eux pour créer les conditions de la réussite. Je comprends tout à fait cette philosophie. Et pour cause. C'est la mienne depuis mon plus jeune âge. C'est par exemple vraiment par hasard que je me suis retrouvé à la tête d'une mairie. J'ai été adjoint au maire de la ville de Parthenay de 1971 à 1977, où je ne pouvais pas faire grand-chose pour transformer la ville. J'ai fait réaliser une bibliothèque pour enfants, certes, mais je voulais faire bien davantage. C'est alors que le maire meurt, en 1979, et l'on vient me chercher pour compléter la liste municipale et me demander d'être maire.

Avant cela, voyant que mes possibilités d'action étaient réduites en tant qu'adjoint, j'avais fondé le club des entrepreneurs du Pays de Gâtine. C'était le premier club de la sorte en France. Et c'est là que j'ai vu les possibilités de changer les choses, non plus à l'échelle d'une entreprise mais à l'échelle d'un territoire. J'ai vu notamment que les jeunes entreprises avaient avant tout besoin de financements abordables. J'ai alors décidé de constituer un fonds pour la création d'entreprises, une sorte de tontine sur le modèle africain. Je suis allé voir Alain Minc, qui était à la direction financière de Saint-Gobain, ainsi que le dirigeant de la Caisse des dépôts et consignations, qui m'ont pris un peu pour un farfelu. J'ai alors décidé de créer une banque de capital-risque : l'Institut de développement du Poitou-Charentes (IDPC), avec l'appui de la MAIF, de la MACIF et de la MAAF, les trois plus grands mutualistes français, qui m'ont accordé dix millions de francs pour amorcer le projet. Fort de ces soutiens, qui prouvaient également ma détermination, je suis retourné voir la Caisse des dépôts et Alain Minc, et cette fois-ci ça a marché. J'avais créé les conditions de la réussite.

En France, on pense souvent qu'il suffit d'avoir raison pour emporter la mise. C'est très cartésien cette croyance que le plus rationnel finit par triompher. Hélas, nous avons chaque jour la preuve que c'est loin d'être le cas. Au contraire, ceux qui sont sûrs d'avoir raison sont souvent dogmatiques, unilatéraux et intransigeants. Regardez les Verts français. C'est une vraie catastrophe ! Sur le fond, ils ont raison, c'est évident, mais leur incapacité au dialogue, au consensus et au compromis les réduit à jouer un rôle de troisième ordre au sein du champ politique français, alors même qu'une grande partie de la population partage leurs constats.

Ce manque de concertation et cet aveuglement dans la certitude est quelque chose que l'on retrouve souvent dans le militantisme, comme je le disais plus haut en évoquant Sivens. On y est généralement dans le directif et l'affirmation péremptoire, au lieu d'être dans le dialogue et la détermination de grandes orientations générales que chacun pourra se réapproprier à sa manière.

La nouvelle génération, fort heureusement, tend à rejeter cette logique de l'affrontement binaire entre deux camps aux frontières hermétiques. En privilégiant l'ambivalence et la découverte par tâtonnement, elle se préserve des ornières de la certitude idéologique et conserve suffisamment de recul pour voir loin dans le temps et dans l'espace.

J'ai d'autant plus espoir en cette nouvelle génération que je la vois chaque jour grandir baignée dans un nouvel instrument qui va lui permettre de déployer toutes ses potentialités créatives et concertatives : Internet.

12.
Un nouvel outil, Internet

Le numérique, notre nouvel écosystème

Il peut arriver qu'un peuple, inventant ou adoptant un outil, voie bousculés progressivement les rites établis, instaurées de nouvelles pratiques et suscitée une intelligence inédite. Comme l'a montré l'historien médiéviste américain Lynn White, le système féodal est dans une large mesure le descendant de l'étrier, importé en Occident au huitième siècle. À la suite de l'introduction de cette technique, monter un soldat en armure sur sa monture requit les ressources d'au moins dix paysans. Charlemagne demanda alors aux paysans les plus pauvres de regrouper leurs fermes pour pouvoir financer l'équipement des cavaliers, en vue de faire la guerre. Cette nouvelle technologie guerrière exerça bientôt une telle pression financière qu'elle encouragea le développement d'une nouvelle organisation économique. Vers l'an mille, les anciens soldats étaient devenus des « chevaliers », et le système féodal était né[1].

---

1. WHITE Lynn T., *Technologie médiévale et transformations sociales*, traduit de l'anglais par M. Lejeune, Paris ; La Haye : Mouton et Cie, 1969

Voilà ce que signifiait McLuhan lorsqu'il disait : « le médium est le message[1] ». Ce qui compte, ce n'est pas le contenu d'une technologie mais les transformations qu'elle impose à une société. Peu importe, disait-il, que l'ampoule électrique serve à éclairer un match de base-ball ou une opération chirurgicale, et peu importe les programmes que diffuse la télévision. Ce qui compte, c'est l'électricité elle-même et la télévision elle-même, la manière dont ces inventions affectent notre rapport au temps, à l'espace, aux choses, aux gens et à nous-mêmes.

Voilà comment il faut comprendre Internet. Ce nouveau medium bouleverse nos communautés comme l'étrier a bouleversé la société médiévale. Il affecte l'ensemble de nos comportements et de nos représentations. Depuis qu'il est entré dans nos vies, nous faisons différemment, nous parlons différemment, nous pensons différemment. Ce qui a de l'importance ou non a changé, et la définition même des concepts de vérité, de savoir et de réalité a été transformée. Il n'est pas jusqu'à nos manières de nous déplacer ou de tomber amoureux qui n'ont été affectées par la popularisation du Web.

Notre civilisation ne se définit plus par son rapport à la nature ou à la matière, mais dans son rapport à l'information. En d'autres termes, Internet est en train de devenir notre écosystème. Jacques Ellul avait déjà annoncé, dans les années 70, que la technique était en train de devenir notre milieu[2]. Mais il n'avait encore rien vu…

Internet institue l'humanité en une communauté globale, et l'Internet des objets fait même entrer les choses inanimées dans cette communauté planétaire en permettant aux individus de communiquer à distance avec des objets et aux

---

1. MCLUHAN Marshall, *Understanding Media: The Extensions of Man*, New York: Signet, 1966 [1964], pp.7-23
2. ELLUL Jacques, *Le Système technicien*, préf. de J.-L. Porquet, Paris : Le Cherche Midi, 2004 [1977], p.49

objets de communiquer entre eux. Plusieurs études estiment qu'il y aura plus de 20 milliards d'objets connectés d'ici cinq ans seulement.

Ceci étant dit, prenons garde à ce que l'intelligence objective n'absorbe pas l'intelligence subjective et que les choses ne deviennent de plus en plus intelligentes quand les individus le seraient de moins en moins. On peut imaginer, à cet égard, dans un futur très proche, un « internet des corps » qui verrait des nano-robots placés dans notre organisme communiquer entre eux et avec nous de manière à entretenir nos organes et à optimiser nos performances physiques et intellectuelles. Sans aller jusqu'à imaginer cela, il est patent que la technique consiste désormais autant à exécuter des tâches à notre place qu'à guider nos actes. Internet est ainsi devenu le premier coach mondial.

La principale révolution du numérique, c'est l'intronisation de l'information. Celle-ci est aujourd'hui le bien qui est le plus échangé à travers le monde. Elle est désormais à la base de l'organisation de notre société, de notre économie, de notre gouvernement, de nos relations sociales. En particulier, comme nous l'avons vu, elle favorise une économie de la connaissance et de l'immatériel, d'une part, et d'autre part le tribal, le fameux « village mondial ». Comme le relevait récemment le PDG de Google, le village mondial virtuel sera même bientôt plus peuplé que le monde réel, car sur Internet tout le monde existe sous la forme de plusieurs avatars, « créant des communautés actives et vibrantes aux intérêts partagés qui enrichiront notre planète.[1] »

Plus encore que les communications téléphoniques et l'avion, Internet a donné réalité à la mondialisation. Il a fait prendre conscience à l'humanité qu'elle formait un seul et unique peuple, par-delà les frontières et les barrières érigées

---

1. SCHMIDT Eric & COHEN Jared, *The New Digital Age: Reshaping the Future of People, Nations and Business*, New York: Alfred A. Knopf, 2013, p.32

par les États durant l'ère précédente. Si, avec l'écriture, l'humanité a découvert sa dimension historique, avec Internet elle découvre sa dimension spatio-temporelle.

Internet unifie les consciences et fait dialoguer toutes les cultures. Le Web est devenu ce que Teilhard de Chardin anticipait sous le nom de « noosphère » : une pensée globale coiffant la géosphère (matière inanimée) et la biosphère (vie biologique). Internet peut être ainsi vu comme une sorte de cerveau mondial.

Le grand potlatch

La communication intensifie nécessairement le partage. « Communiquer », à l'origine, signifie rendre commun, partager. Une civilisation naît nécessairement d'un accroissement des communications – de leur qualité autant que de leur quantité. De nos jours, le volume et la nature de ce que nous communiquons entre nous est proprement ébouriffant : nous partageons aussi bien des sentiments bruts que des pensées hautement abstraites, des images que des sons, des désirs que des histoires.

Avec la diffusion d'Internet se mettent en place des systèmes de production et d'échange reposant sur le partage plutôt que sur la marchandisation et sur la collaboration plutôt que sur la concurrence[1]. Prenez un service payant comme le covoiturage. Une telle pratique aurait été impossible autrefois, car elle aurait nécessité le recours à une énorme bureaucratie pour gérer les comptes des clients, la disponibilité des places, les trajets proposés, etc. Avec Internet, tout cela est automatisé et extrêmement simple.

1. Cf. BENKLER Yochai, *The Wealth of Networks: How Social Production Transforms Markets and Freedom*, New Haven, Conn.; London: Yale University Press, 2006

Et cela permet à des individus ayant de la place dans leur voiture d'en faire profiter à d'autres, tout en créant de la convivialité et en économisant de l'énergie.

Internet favorise ainsi l'acentralité et le réseau. C'est une technologie fondamentalement rétive à la centralisation qui promeut les échanges de pair à pair (*peer-to-peer*) plutôt que les relations verticales. Comme l'écrivait prophétiquement Marshall McLuhan, « l'homme électronique perd de vue le concept d'un centre souverain[1]. »

Dans le même ordre d'idées, Internet favorise tout un ensemble de systèmes d'échanges locaux et d'échanges de services. Il existe ainsi, dans de nombreux quartiers et villages, dans le monde entier, des listes de diffusion par email qui permettent aux habitants de s'échanger des services, de se prêter des objets ménagers ou de bricolage et de partager des informations utiles concernant la vie du quartier ou du village.

La solution au problème du chômage est là, dans un système de don et de contre-don qui redonne un sentiment d'utilité aux chômeurs, et non dans une grosse bureaucratie centralisée. Je ne peux effacer de ma mémoire cette image, sur la route du retour de la base aérienne de Villacoublay vers l'Hôtel du Premier ministre, rue de Varennes, précisément à la hauteur du pont des Invalides. En voiture avec Michel Rocard, je lui ai demandé l'autorisation d'expérimenter à Parthenay, en dehors des réglementations, un système de don et contre-don entre chômeurs. À quoi il m'a répondu par la négative, d'une manière inhabituellement sèche et tranchée. Je n'ai compris que plus tard qu'il était alors sur le point d'être mis sur la touche par Mitterrand et que ce n'était pas le moment pour lui d'expérimenter en dehors des réglementations.

---

1. MCLUHAN Marshall & POWERS Bruce R., *The Global Village: Transformations in World Life and Media in the 21st Century*, New York; Oxford: Oxford University Press, 1989, p.92

En outre, grâce au Net, l'auto-entrepreneuriat s'est considérablement développé. Internet permet en effet à des petits producteurs, des artisans et des travailleurs indépendants de vendre leurs produits ou leurs services directement aux consommateurs, sans passer par de grandes chaînes ou par des magasins. Créé en 2005, le site de vente en ligne Etsy s'est par exemple spécialisé dans les créations personnelles ou les objets de seconde main. Il permet à de petits artisans, travaillant la plupart du temps chez eux, de vendre dans le monde entier des porte-monnaie faits mains, des bijoux, des bandeaux pour les cheveux, des meubles, des vêtements ou encore des photographies. Début 2015, le site comptait 54 millions de membres et enregistrait presque deux milliards de dollars de transactions par an.

C'est cela que je nomme *le grand potlatch*. La cérémonie du potlatch, pratiquée notamment par des tribus amérindiennes, voit des clans ou leurs chefs rivaliser de prodigalité, soit en détruisant des objets, soit en faisant des dons au rival qui est contraint à son tour à donner davantage. C'est une sorte de mécanisme de don et de contre-don poussé à son paroxysme. Ce en quoi consiste précisément le Web, à mes yeux.

Le premier capitalisme avait supprimé les corporations et les associations qui encadraient le travail dans la société féodale. De nos jours, le capitalisme de la troisième révolution industrielle, celle de l'information, ne s'accommode plus des valeurs chrétiennes, des communautés traditionnelles et de la lenteur des évolutions sociales. Internet oblige ainsi les anciennes communautés à adopter des modes d'organisations horizontaux, ouverts et transparents.

En cela, Internet est en train de révolutionner la politique au sens large. Le réseau se présente ainsi comme un enchevêtrement de petites communautés interdépendantes. De telles communautés n'obéissent pas à la loi d'un souverain ou à une règle choisie à la majorité, mais à un principe de consentement. Sur les réseaux, chacun peut exprimer son avis et tout le monde a le droit de faire entendre ses désaccords.

Dans la lignée du système des conseils et des mouvements politiques qui ont secoué les années 70, Internet promeut la démocratie concertative. L'intelligence collective peut désormais être pensée comme la construction d'un espace public de communication et de délibération. Tout se passe même comme si cette formule politique était inscrite dans l'ADN d'Internet. Il y a d'ailleurs, comme je l'ai suggéré plus haut lorsque je parlais de la révolution cybernétique, un lien historique entre l'apparition d'Internet et la contre-culture.

Internet n'est pas bon ou mauvais en soi. C'est juste un instrument. En tant que tel, il peut servir au meilleur comme au pire, à partager ou à surveiller, à apprendre ou à calomnier. La particularité de cet instrument, c'est justement la grande latitude d'utilisation qu'il nous laisse, plus encore que tous nos autres instruments, et sa tendance à favoriser l'horizontalité et la participation. Comparez le Web à la télévision ou à la radio, qui sont davantage des médias fermés et centralisés dont l'usage est limité à quelques possibilités. Cela n'a rien à voir. La télévision et la radio fonctionnent de manière monarchique : une poignée d'émetteurs diffusent de l'information à une multitude de récepteurs passifs. Dans le cas d'Internet, tout le monde est à la fois émetteur et récepteur.

Le Web révolutionne également la politique en favorisant la transparence. Hier, le pouvoir était basé sur le secret, auquel avaient accès les seuls initiés. Le gouvernement de l'État est même longtemps resté une pratique très secrète à laquelle le Roi se livrait dans des alcôves. Cela avait un nom : les mystères de l'État (*arcana imperii*).

De nos jours, le secret n'existe plus. Les lanceurs d'alerte tels qu'Edward Snowden et Bradley Manning, qui ont fait fuiter des centaines de milliers de documents classifiés

« secret défense », ont donné ses lettres de noblesse au principe de transparence. Même en politique il n'y a plus de *off*. La compagne du Président de la République met leur vie privée sur le devant de la scène, tandis que les hommes politiques sont sommés de « tweeter » leurs opinions et leurs moindres faits et gestes. En somme, tout le monde est un peu devenu nudiste.

Il convient à ce titre de tempérer l'enthousiasme des thuriféraires de la transparence totale. Car qui dit communication globale dit aussi surveillance globale. L'État et les *arcana imperii* n'ont pas disparu. Le Web est devenu le plus grand espace et le premier outil de collecte de données au monde. Pour autant, faut-il craindre la surveillance ? Je ne crois pas. On a peur de la surveillance quand il y a une dichotomie entre le pouvoir et les citoyens. Quand on se situe dans des communautés horizontales, on n'a pas à craindre le regard de l'autre sur ce que l'on fait.

De même, tout n'est pas partagé sur le Net gratuitement, et la plupart des sites les plus visités et les plus influents, tels que Facebook et Google, sont la propriété de grandes multinationales américaines. Mais il n'en reste pas moins que l'information semble plus libre que jamais. L'encyclopédie en ligne Wikipédia, lancée officiellement en janvier 2001, compte aujourd'hui près de cinq millions d'articles dans 288 langues différentes. C'est l'un des dix sites les plus visités au monde, et il est presque entièrement réalisé par des bénévoles amateurs. C'est une révolution par rapport à son ancêtre, l'encyclopédie traditionnelle, dans laquelle les articles étaient écrits par des experts rémunérés et les volumes vendus relativement chers.

Nous en arrivons du reste à une situation de trop plein d'informations disponibles sur la toile. Le problème n'est plus que l'on nous cache les choses mais qu'on nous les montre presque trop. Nous courrons un risque réel de *surcharge informationnelle*, qui peut être générateur de stress, d'incompréhension et d'ignorance. Car, de fait, la grande disponibilité des informations ne nous garantit pas que nous sachions. Être informé n'est pas la même chose que savoir. Comme s'en plaignait le sociologue Jean Baudrillard il y a trente-cinq ans déjà, « nous sommes dans un univers où il y a de plus en plus d'information, et de moins en moins de sens.[1] » Ce qui nous manque, ce ne sont pas des informations, c'est du savoir. Savoir sélectionner, savoir classer et savoir organiser l'information sont donc devenues des compétences indispensables pour ne pas périr sous un trop plein de données et de signaux.

Une information est une matière morte qui ne vaut rien en elle-même. Pour valoir quelque chose, elle doit être transformée en savoir, en création, en innovation. C'est cela qui a de la valeur, parce que c'est rare. Comme nous l'avons vu plus tôt, en discutant de la réforme de l'entreprise, ce qui fait la valeur, c'est la rareté. Voilà pourquoi les journaux sont condamnés à disparaître s'ils se contentent de vendre de l'information : personne n'est prêt à payer pour quelque chose que l'on trouve gratuitement en un simple clic. Étant tout sauf rare de nos jours, l'information a perdu de sa valeur. Ce qui a de la valeur, c'est le savoir, c'est l'analyse, c'est l'intelligence. Les données peuvent avoir une certaine valeur quand on en dispose en très grand nombre (*big data*), mais cette valeur est incomparable à celle du savoir que l'on peut en tirer.

Le problème, c'est que ces instances chargées de produire et transmettre le savoir que sont la recherche et l'éducation sont en panne, comme nous l'avons vu dans la troisième partie. Fort heureusement, Internet offre une voie de sortie à cette situation en ce qu'il permet de démultiplier l'intelligence collective. Diffusées et utilisées en réseau, la connaissance et l'innovation ont ainsi fait des progrès considérables avec l'apparition d'Internet.

1. BAUDRILLARD Jean, *Simulacres et simulation*, Paris : Galilée, 1981, p.119

La ville numérique

J'ai été invité par Carlo Rubbia au CERN où il faisait la chasse au boson de Higgs. C'est là que j'ai découvert l'invention de Tim Berners-Lee, le World Wide Web, comme je le disais, qu'il a imaginée pour faciliter la communication et les travaux des physiciens du CERN en leur permettant de partager sur le réseau américain Arpanet toutes leurs informations et de se connecter entre eux. J'ai immédiatement trouvé cette idée extraordinaire.

À Parthenay, où je faisais déjà de la démocratie concertative, je m'étais rendu compte que, comme pour mon entreprise, cela nécessitait que les gens qui participent soient informés. Il n'y a pas de participation sans diffusion de l'information. En voyant le réseau utilisé par le CERN, l'idée m'est alors venue de faire un réseau numérique reliant tous les habitants de Parthenay et mettant à leur disposition toutes les informations concernant l'administration de la ville. Je l'ai appelé notre « *in town net* ».

Seulement, comment faire ? Cela demandait des ordinateurs, des kilomètres de câbles, des formations en informatique et bien d'autres choses encore. Je me suis tourné vers le ministère de l'Économie et des Finances mais, dans leur logique de centralisation monarchique, les fonctionnaires de Bercy voulaient décider où et comment aurait lieu cette expérience pilote. Comme j'étais alors député européen, je me suis logiquement tourné vers l'Europe, et cette fois ce que l'on m'a demandé c'était d'avoir des partenaires privés. Connaissant le patron des relations publiques du groupe Philips, qui était un ancien physicien quantique, je me suis adressé à lui et il a accepté de faire partie de l'aventure avec sa collaboratrice – collaboratrice que, pour la petite histoire, j'ai rencontrée peu après la mort de ma première femme lors d'un accident de la route, et qui est devenue par la suite ma seconde femme. Le problème, c'était que le commissaire européen qui évaluait notre dossier était un allemand. Il avait une maison en Poitou-Charentes, ce qui n'était pas pour nous desservir, mais il voulait un Allemand dans le coup. Siemens a accepté de faire partie du projet, alors que cette entreprise allemande était un concurrent direct de Philips.

Pour nous donner toutes les chances de voir notre dossier accepté, restait à trouver une entreprise spécialisée dans le numérique. J'ai pensé à IBM, mais cette société touchait déjà des fonds de l'Union européenne. Je me suis donc tourné vers leur rival, qui était à l'époque un outsider : Microsoft. Je suis allé rencontrer le responsable de Microsoft France, aux Ulis, mais notre projet ne l'a pas intéressé. Qu'à cela ne tienne, je suis allé voir le président de Microsoft Europe Bernard Vergnes, un Français qui était un ami de la première heure de Bill Gates. Et c'est ainsi que je me suis retrouvé à Seattle, à ses côtés, à essayer de convaincre celui qui deviendrait bientôt l'homme le plus riche du monde d'apporter son soutien à mon projet d'intranet à Parthenay, bourgade de 10 000 habitants située à 8 000 km de là. Et il a accepté !

Afin de pouvoir faire financer le projet par l'Union européenne, il suffisait maintenant d'impliquer d'autres villes d'Europe. J'ai logiquement pensé à Weinstadt et Arnedo, avec lesquelles j'avais jumelé Parthenay. Leurs maires se sont enthousiasmés pour notre projet de ville numérique et nous avons donc pu revenir devant l'Union européenne, qui a validé la demande de financement. Voilà comment est née la première ville numérique d'Europe.

La morale de cette histoire, s'il y en a une, c'est qu'il faut savoir saisir les opportunités où elles se présentent et persévérer jusqu'à trouver une issue. Voilà comment, en réunissant l'idée d'un informaticien anglais travaillant à la frontière suisse, les compétences d'un entrepreneur américain, le volontarisme de maires allemand et espagnol, l'entêtement d'un député européen français et des fonds européens, nous avons pu lancer ce projet unique en Europe en 1995, il y a déjà 20 ans.

Le village mondial qu'a fait émerger Internet est un village tribal. Il rapproche les individus comme l'étaient hier les membres des communautés primitives. Or, quand on vit dans un village, on est davantage attentif à la nature qui l'entoure. On est à l'écoute de son environnement naturel immédiat, parce que l'on sait que la survie du groupe en dépend. C'est exactement ce qui se produit aujourd'hui avec Internet : comme nous allons maintenant le voir, l'émergence du village global est concomitante de l'émergence d'une conscience écologique mondiale.

13.

Un nouvel horizon, l'écologie

La nouvelle conscience écologique

L'avènement de la nouvelle ère est précipité par la menace d'extinction de l'espèce. Celle-ci provoque une prise de conscience mondiale, notamment chez les jeunes, que tous les habitants de cette planète partagent un destin commun et que ce destin est menacé. Ainsi est-il aujourd'hui devenu évident que nous devons collectivement et individuellement changer de paradigme.

Cela ne s'est pas fait du jour au lendemain. L'écologie n'apparaît réellement dans la conscience occidentale qu'au début des années 70. La première action de l'association Greenpeace a lieu en 1971, contre les essais nucléaires américains. L'année suivante est publié le rapport du Club de Rome, dirigé par Denis Meadows et intitulé *Halte à la croissance*, tandis que prend place la première Conférence des Nations unies sur l'environnement et le développement, qui débouchera notamment sur la création du Programme des Nations unies pour l'environnement.

Quinze ans plus tard, un trou dans la couche d'ozone est découvert, au-dessus de l'Antarctique, par des scientifiques britanniques et américains. Deux ans après, en 1987, le rapport Brundtland lance le terme « développement durable », qu'il définit comme « un développement qui répond aux besoins du présent sans compromettre la capacité des générations futures de répondre aux leurs[1] ». Autrement dit, il devient impérieux de rendre compatible croissance économique, équité sociale et préservation de l'environnement. En liant ces trois dimensions, le développement durable propose une approche pluridimensionnelle et pluridisciplinaire de l'écologie.

Une décennie plus tard, en 1994, la Convention sur le climat entre en vigueur, complétée trois ans plus tard par le Protocole de Kyoto, qui énonce des objectifs juridiquement contraignants de réduction d'émissions de gaz à effet de serre pour les pays industrialisés et crée des mécanismes innovants pour les aider à atteindre ces objectifs. Le Protocole n'entrera en vigueur qu'en 2005.

Pendant ce temps, les catastrophes climatiques se multiplient. L'année 1998 connaît notamment des conditions climatiques et météorologiques extrêmes : l'ouragan Mitch frappe l'Amérique latine, les deux tiers du Bangladesh sont inondés pendant plusieurs mois, 54 autres pays connaissent des inondations, 45 sont touchés par la sécheresse, tandis que la température générale de la planète atteint le niveau le plus élevé jamais enregistré.

En 2002, au sommet de Johannesburg, plus de cent chefs d'État et plusieurs dizaines de milliers de représentants gouvernementaux et d'ONG ratifient un traité statuant sur la conservation des ressources naturelles et de la biodiversité. Cinq ans plus tard, le GIEC (Groupe d'experts intergouvernemental sur l'évolution du climat) et Al Gore reçoivent conjointement le Prix Nobel de la Paix.

1. COMMISSION MONDIALE SUR L'ENVIRONNEMENT ET LE DÉVELOPPEMENT, *Notre avenir à tous*, Montréal : Ed. du Fleuve, 1988 [1987], p.51

Et nous voilà, à l'aube du troisième millénaire, au terme des révolutions copernicienne et galiléenne, à nous questionner sur notre avenir. Non seulement nous ne sommes plus au centre de l'univers, mais nous ne sommes même plus comme maîtres et possesseurs de la nature. Au contraire, nous nous trouvons de plus en plus confrontés à des dérèglements climatiques imprévisibles, auxquels s'ajoutent des catastrophes technologiques déclenchées par les activités humaines, dont la science a décuplé les effets au XXe siècle. Comment ne pas penser au désastre que représente Fukushima ?

Ainsi, au moment où l'écologie devient notre commun mondial, nous découvrons que nous sommes en train de saccager cette richesse. Voilà qui doit nous inviter à la modestie, mais aussi à l'innovation. Car le changement climatique est un défi lancé à l'ingéniosité humaine. À nous d'inventer les solutions au problème causé par notre mode de vie. À nous de faire changer nos sociétés de manière à les rendre durables, sans qu'il nous soit besoin d'aller vivre dans des grottes ou d'abandonner les précieuses conquêtes de la science et de la technologie. Plutôt que de nous enfouir la tête dans le sable, il nous faut agir.

La première tâche qui nous incombe, c'est d'abandonner les schémas de pensée mortifères. Nous devons par exemple remiser l'approche néoclassique, qui voit la nature comme un simple instrument au service de l'homme. La nature est un organisme vivant, et non un stock de matière première, une simple juxtaposition de ressources attendant patiemment que l'homme vienne les mettre en valeur. Comme le soutient le philosophe Hans Jonas, nous en sommes arrivés à un stade de l'histoire humaine où seule une responsabilité étendue à l'ensemble du vivant et projetée dans l'avenir peut nous sauver de la catastrophe.

Nous devons aussi abandonner les conceptions analytiques de la nature, qui la découpent en sous-ensembles dont on croit faussement pouvoir contrôler tous les paramètres. L'écosystème est d'une extraordinaire complexité, comme l'ont prouvé les efforts considérables déployés par les milliers de scientifiques réunis au sein du GIEC pour modéliser le climat, et alors même que le climat ne constitue qu'une partie de l'écosystème. La nature est un ensemble de boucles de rétroaction dont les effets se font sentir à de multiples échelles. Il nous faut ainsi privilégier une vision systémique, abordant le monde en termes de relations et d'intégration.

Il faut voir les choses comme des tous intégrés et comme des dynamiques. Les relations entre les parties de ces ensembles ne sont pas déterminées de manière rigide et définitive. Il y a certes de la mécanique dans le fonctionnement de la vie et des sociétés humaines : l'ossature et la circulation sanguine obéissent par exemple à des principes mécaniques. Mais tout n'est pas réductible à un tel prisme. La nature dans son ensemble ne peut pas être découpée en segments isolés. Elle forme un tout, et nous en faisons partie. Ainsi devons-nous passer d'une vision localiste à une vision holistique de l'environnement.

Les sciences, la technique, l'économie, le matérialisme et la vie urbaine figurent parmi les principales croyances que la civilisation occidentale s'avère être incapable de remettre en cause. Or, ces croyances sont à l'origine des maux écologiques dont souffre aujourd'hui l'humanité. Répondre intelligemment à ces maux suppose donc de remettre en cause plusieurs des postulats fondamentaux de la modernité. En particulier, il nous faut remiser l'idée que le progrès des technologies nous protège des catastrophes.

Mon ami René Passet le dit très bien. Pour lui, « la nature se trouve prise entre deux logiques : celle du progrès technique qui la ménage et celle de la course productiviste qui la dégrade. La recherche de productivité – phénomène positif – se transforme en productivisme négatif, à partir du moment où le phénomène, cessant de servir ses finalités humaines, se boucle sur lui-même pour devenir sa propre finalité.[1] » À l'égard de la nature, nous avons d'abord été dans une attitude de soumission, puis dans une attitude de domination. Nous devons aujourd'hui être dans une attitude d'intégration. Et je cite là encore René Passet, qui affirme avec force que l'économie ne doit pas être une science du profit mais une science de la vie[2].

Souhaitant me remercier de l'appui que je lui avais apporté lorsque que j'étais président d'Europe-Tibet, le Dalaï-lama m'a invité dans le nord de l'Inde, à Dharamsala, une ville aussi appelée « la petite Lhassa », où il vit en exil. Là, j'ai vu des moines réaliser des mandalas de sable. Il s'agit d'une pratique rituelle consistant à réaliser un tableau circulaire à l'aide de millions grains de sables colorés. Une fois ce tableau terminé, souvent au bout de plusieurs jours, un lama ramasse tous les grains de sable, détruisant le superbe motif géométrique réalisé par les moines. Il s'agit de rappeler à chacun comme le monde matériel est éphémère.

Par bien des aspects, le capitalisme du XXIe siècle ressemble encore à l'économie de rapine des premiers temps. Ainsi prenons-nous chaque jour davantage à la Terre des ressources et déséquilibrons-nous sa balance naturelle. Nous devons transformer nos modèles économiques afin de favoriser le local, le durable et le commun, comme je l'ai montré plus haut. Nous ne pouvons continuer à révérer la croissance, l'accumulation de profits et la consommation sans frein comme les finalités suprêmes de la vie sur Terre. L'économie doit cesser d'être mécaniste, fragmentaire et réductionniste. Nous n'avons pas le choix, nous devons redéfinir la richesse à l'aune de l'écologie. Nous devons ainsi inclure dans les coûts l'entropie, l'efficacité énergétique,

---

1. PASSET René, *L'Illusion néo-libérale*, Paris : Flammarion, 2000, p.164
2. PASSET René, *L'Économique et le vivant*, Paris : Économica, 1996 [1979], pp.27-31

l'impact écologique et social, ou encore le bien-être.

Enfin, il nous faut changer notre représentation du temps. Si nous ne regardons l'avenir qu'à dix ou vingt ans, nous ne ferons jamais rien de sérieux pour l'environnement. À la vision planétaire de l'écologie, il faut une vision de long terme. Il faut penser en termes de siècles et de millénaires, non en termes de décennies. Telle est la révolution mentale que nous devons accomplir dans le champ politique et économique, où le passage à l'échelle planétaire a raccourci notre échelle temporelle. Typiquement, la finance mondiale pense tout au plus en termes de trimestres, voire de semaines, de journées ou même de millisecondes dans le cas du trading haute fréquence.

Pour certains, comme le physicien Fritjof Capra, il est trop tard pour changer de système économique : « nos structures économiques et institutionnelles sont des dinosaures incapables de s'adapter aux modifications environnementales et sont donc condamnées à périr[1]. » Je suis pour ma part plus optimiste et darwinien : je crois en l'évolution. La vie ne s'entête jamais éternellement dans une situation mortifère.

Nous voyons chaque jour comment les personnes qui œuvrent à réaliser ces transformations créent des communautés plus fraternelles et plus équilibrées. L'écologie a ainsi cette vertu de nous ouvrir les uns aux autres, de développer de l'égalité et de la fraternité, car nous sommes tous dans le même bateau après tout.

Relocaliser

C'est aussi aux fins de préserver l'environnement que nous devons passer d'une logique de l'appropriation à une

1. CAPRA Fritjof, *Le Temps du changement : science, société et nouvelle culture*, traduit et adapté de l'américain par P. Couturiau, Monaco : Éditions du Rocher, 1983, p.207

logique de l'accès. Les biens publics mondiaux (qui sont à la fois environnementaux, sanitaires, éducatifs et culturels) ne sauraient être privatisés. Si nous voulons préserver ces biens communs, nous devons à tout prix dépasser la logique nationale qui a prévalu durant l'ère monarchique. De fait, l'air atmosphérique, l'eau et la santé, pour ne prendre que ces exemples, sont des enjeux qui débordent des frontières nationales. Hélas, il n'existe pas d'autorité supranationale ayant la légitimité pour agir à l'échelle de la planète. S'il existe une Organisation mondiale du commerce, une Organisation mondiale de la santé et même une Organisation mondiale du tourisme, il n'existe pas d'Organisation mondiale de l'environnement.

On pourrait imaginer également un Conseil de Sécurité économique, sociale et environnementale, qui aurait pour première tâche d'instaurer une fiscalité écologique. Puisque n'a de réalité, aujourd'hui, que ce qui peut être compté, pourquoi ne pas mettre aussi en place une comptabilité sociale et environnementale aux niveaux français, européen et mondial ?

Outre ces solutions globales, il est important d'imaginer des alternatives locales. Nous avons parlé plus haut des systèmes d'échanges locaux, qui permettent aux uns et aux autres de partager des biens et de s'échanger des services à l'échelle d'un quartier ou d'un village. Voilà une alternative locale prometteuse. Mais il faut aller plus loin.

De nos jours, la principale source de pollution, ce sont les énergies fossiles. Depuis plus de deux siècles, nous bâtissons littéralement la modernité sur le charbon et sur le pétrole. Il est temps de remiser ces énergies hautement polluantes au placard. Non seulement elles sont en train de s'épuiser, à un tel point qu'il coûte toujours plus d'argent et d'énergie pour les trouver et les extraire. Mais surtout, le taux de dioxyde de carbone dans l'atmosphère atteint un seuil qui est en train de provoquer des altérations irréversibles du climat, entraînant potentiellement la disparition de 20 % des formes de vie existant aujourd'hui sur Terre (certaines estimations alarmistes parlent de 70 %). Une hausse de la température moyenne de deux degrés peut en effet suffire à décimer certaines forêts, et partant toute la biodiversité qu'elles contiennent.

Parce qu'elles nécessitent d'importants capitaux, les énergies fossiles ont favorisé la constitution d'immenses multinationales qui ont recouru à l'aide des États nationaux pour accéder aux ressources qu'elles convoitaient – avec les conséquences que l'on connaît au Moyen-Orient. Les énergies fossiles, comme nous l'avons vu précédemment, ont donc favorisé la centralisation en plus de favoriser la pollution atmosphérique.

Les énergies renouvelables, demandant moins d'investissements de départ et reposant sur des sources solaires, éoliennes ou marines distribuées sur toute la surface du globe, sont plus susceptibles de promouvoir l'acentralité. Jeremy Rifkin imagine même que nous pourrions, assez rapidement, transformer les immeubles en mini-centrales électriques, en munissant par exemple les toits et les façades de panneaux solaires et en installant des tubulures permettant de capter les forces éoliennes et de les transformer en électricité. Au moyen d'un circuit électrique amélioré, il serait ainsi possible pour chaque immeuble d'échanger ses surplus énergétiques avec d'autres, aussi facilement que nous échangeons de l'information par Internet.

De manière similaire, les imprimantes 3D peuvent nous permettre de relocaliser la production industrielle au plus près des consommateurs. À l'allure où vont les choses, il sera bientôt possible de produire localement des ustensiles de ménage, des vêtements sur mesure, des objets de décoration et même des ordinateurs, plutôt que de les importer de l'autre bout du monde.

En résumé, plutôt que de délocaliser et de centraliser, il nous faut relocaliser et acentraliser. À l'avenir, chaque petite communauté devra pouvoir produire son énergie, ses biens et ses services, de manière à la fois durable et démocratique.

Néguentropie

L'évolution qui me rend également optimiste, c'est la *néguentropie*. En physique et en cybernétique, la néguentropie, ou entropie négative, désigne l'évolution d'un système vers un degré croissant d'organisation. La néguentropie s'oppose ainsi à cette tendance naturelle à la désorganisation qu'est l'entropie.

Je m'explique : la vie nécessite, pour se perpétuer, de détruire de la matière et de l'énergie. Or, plus un système contient d'informations et moins il a besoin de matière et d'énergie. L'information, en ce sens, agit comme un mécanisme d'économie d'énergie. C'est le principe de la biologie qui, comme le souligne Henri Laborit, « ajoute à l'énergie et à la matière la notion fondamentale d'information.[1] »

C'est la même chose avec Internet. Le Web est exactement ça : une très grande concentration de savoirs qui permet d'économiser de l'énergie. Les sites de covoiturage permettent par exemple de pleinement rentabiliser les dépenses énergétiques que représente un trajet en voiture. Les sites d'échange d'appartement ou de *couchsurfing* (ces derniers permettant à un voyageur de passer gratuitement une nuit ou deux chez l'habitant) conduisent à partager des ressources et donc à les économiser. La *néguentropie numérique* est ainsi l'un des remèdes au réchauffement climatique. En substituant le partage à l'appropriation, elle permet de grandes économies d'énergie et de matière.

La vie est un système qui développe de l'information. Des premières cellules jusqu'à l'homme, la vie n'a cessé de

1. LABORIT Henri, *L'Agressivité détournée*, Paris : Union générale d'éditions, 1970, p.7

créer des systèmes d'information de plus en plus complexes. Et en même temps, la vie est efficace. Elle se complexifie, certes, mais elle s'économise aussi, ou du moins elle privilégie les formes de vie qui requièrent un minimum d'apports alimentaires et énergétiques.

Les sociétés humaines se développent selon un schéma de complexification similaire. Nous, humains, êtres complexes, créons des sociétés de plus en plus complexes. Il est temps, pour nous, d'associer l'efficacité énergétique à la complexité sociale. Et c'est ce que nous permet Internet. Aujourd'hui, grâce au web, ce ne sont pas principalement les cerveaux individuels qui accumulent de l'information, c'est la société tout entière.

Limites de l'écologisme

Pour terminer cette discussion des enjeux écologiques que nous avons à surmonter dans la nouvelle ère, j'aimerais aborder la place des partis et des militants écologistes, qui devraient être les héros de nos sociétés modernes, et qui peinent pourtant à atteindre leurs objectifs les plus modestes.

Le problème des écologistes, à mon sens, c'est le conservatisme. Leur peur du progrès les fait se retourner vers le passé en quête de modèles et de solutions. Beaucoup d'écologistes ont une vision très romantique et largement fantasmée de la nature, que les habitants des pays sous-développés ne partagent généralement pas. Pour ces derniers, la nature représente souvent une menace, qui peut prendre la forme de pluies torrentielles, de glissements de terrain, de raz-de-marée, de sécheresses ou de tremblements de terre.

Comme le marxisme, l'écologisme s'est aussi élevé sur des crises. Comme le christianisme, il repose sur une idéologie de la culpabilisation et du châtiment, dénonçant l'orgueil qui consiste à outrepasser ses droits pour se faire maître et possesseur de la création. Seulement, l'écologisme n'est pas une idéologie, au sens où il ne propose ni vision de l'avenir ni interprétation des lois historiques. Il est seulement, par bien des aspects, une simple métamorphose du gauchisme, une haine de la modernité industrielle.

La solution n'est pas d'en revenir à un état de nature présenté à tort comme purement bénéfique et innocent. Cette vision édulcorée est une idéalisation. La solution, comme toujours dans l'histoire de l'espèce humaine, c'est l'imagination, l'innovation, la création. Les modèles et les solutions à nos problèmes inédits restent à inventer. Et c'est ce qui rend l'époque actuelle si excitante. Préserver est utile et salutaire, mais c'est insuffisant. Il nous faut innover sans relâche. C'est une question de vie ou de mort.

Il faut créer des opportunités économiques qui soient écologiquement bénéfiques et politiquement émancipatrices, plutôt que de vouloir en revenir à un âge du fer mythifié. Il faut par exemple investir dans les technologies non-polluantes et dans la santé. Il nous faut inventer des formes d'organisation politique qui nous permettent de vivre en harmonie avec nous-mêmes, avec les autres et avec la nature. C'est à cette condition que la nouvelle ère sera la nouvelle Renaissance qu'elle promet d'être.

Conclusion : espérer en l'avenir

Nous sommes à un moment de forte ambivalence. Nous sommes entrés dans l'ère de la relativité, dans l'ère de la destruction créatrice, dans l'ère du possible, et plus rien ne paraît tenir par soi-même. Il n'y a plus d'évidences ; la remise en question est générale. Plus aucune autorité ne semble pouvoir préserver sans effort son ascendant. Beaucoup sont à la recherche de repères. Le monde est en proie aux crises et à mille difficultés ; et cependant, qu'on le veuille ou non, que cela nous enchante ou pas, c'est là qu'il nous faut vivre et construire l'avenir. Heureusement pour nous, chaque obstacle est riche de son dépassement et ce monde d'incertitudes nous offre, en retour, de très grandes libertés.

Sans verser dans le catastrophisme et jouer les Cassandre, il n'est pas impossible que nous choisissions d'emprunter le mauvais chemin. Autrement dit, nous ne sortirons pas nécessairement par le haut du moment de transition dans lequel nous nous trouvons actuellement. Notre situation présente peut produire une société libre et fraternelle tout aussi bien qu'une société de la précarité, du jetable, de l'obsolescence et de l'agitation stérile. Cette situation d'incertitude laisse aux acteurs un large spectre de choix, mais soyons réalistes : elle peut être aussi paralysante. De fait, les biologistes ont montré que, confrontés à des signaux contradictoires ou incohérents, les animaux ont tendance à s'inhiber et peuvent en être réduits à l'inaction ou à des comportements irrationnels. Or, quel que soit le nombre d'appareils numériques que nous possédions, nous restons des animaux.

Les ensembles humains, comme les êtres vivants, sont par essence instables et à la recherche d'un équilibre. Ce sont des systèmes dynamiques qui doivent en permanence accorder des mécanismes internes et des phénomènes externes.

À l'heure actuelle, les sociétés occidentales oscillent entre des extrêmes qui sont, l'un comme l'autre, gros de dangers. Elles peuvent ainsi faire retour vers la société religieuse, ou s'embourber dans une crise politique sans précédent. Elles peuvent en revenir à une ère de la rareté, ou se diriger au contraire vers une ère de l'excès. Tel est le grand défi que nous devons affronter au XXIe siècle : trouver l'équilibre entre ces pôles contraires en conjuguant leurs forces et en faisant s'annuler leurs faiblesses.

Notre chance, c'est notre intelligence et notre créativité. Nous sommes la seule espèce vivante douée de la faculté d'imagination. Là est la clé de notre salut. Certes, nous entendons chaque jour parler de crises. Mais il faut nous souvenir qu'en grec, *krisis* signifie « décision ». La crise désigne le moment décisif du diagnostic et du choix. En chinois, le mot « crise » (*wēijī*, 危机) s'écrit d'ailleurs en deux caractères : le premier signifie « danger » et le second « opportunité ». La crise, que l'on vit actuellement comme un moment d'indécision et d'incertitudes, doit devenir un moment positif de prise en main de notre destin collectif. Elle doit nous permettre de mettre en relief ce qui est latent et inconscient, et de faire passer les virtualités à l'état de réalités.

Les évolutions ne vont jamais sans perturbations et désorganisations plus ou moins fortes et déstabilisatrices. Mais elles s'accompagnent aussi toujours de réorganisations et de redistributions. C'est cet aspect positif des bouleversements actuels que nous devons constamment garder à l'esprit pour procéder aux choix qui feront de notre ère une ère de progrès de la liberté, de la fraternité et de l'égalité.

Pour la plupart des peuples primitifs, le temps est cyclique et non linéaire. Les termes de « progrès » ou d'« évolution » n'y ont aucun sens et le changement y est connoté négativement. Pour nous, à l'inverse, la nouveauté est une bonne chose. Nous avons appris à célébrer la créativité, l'irrégularité, l'originalité, l'improbabilité, l'innovation et la rupture par rapport à une norme instituée. Le changement est notre habitat naturel. En temps de crise, la tentation est grande de nous replier sur nos acquis, sur le passé, sur le connu et sur son chez-soi. C'est cette tentation qu'il faut combattre, car elle est mortifère. Nous devons au contraire continuer d'habiter le changement.

Il est également important de raviver la force des principes tribaux. En particulier, nous devons retrouver l'harmonie des peuples primitifs : harmonie avec l'histoire, avec la nature, avec les autres et avec nous-mêmes. Pour ce faire, il convient de contrecarrer les effets négatifs que le progrès peut exercer sur l'harmonie. La nouvelle ère est ainsi une combinaison de ces deux principes, le progrès et l'harmonie.

Après deux siècles et demis de célébration sans nuance de la civilisation, nous nous rendons compte que chaque pas en avant s'accompagne de revers : avec la démocratie va la démagogie ; avec le progrès économique vont les écarts de revenus ; avec les progrès scientifiques et techniques vont des risques et des menaces ; avec les progrès moraux vont la tendance à la victimisation ainsi que l'affaissement des responsabilités et des devoirs ; avec le progrès matériel vont la pollution et un matérialisme croissant. Et les différents aspects de ce progrès reposent sur des siècles d'asservissement d'une partie importante de la population mondiale.

Quoi que je fasse dans mon existence, je m'efforce de ne jamais oublier comme le cours des choses est toujours dual et ambivalent. Les phénomènes historiques ne sont jamais ni tout blancs ni tout noirs. Fernand Braudel rappelait ainsi, dans sa leçon inaugurale au Collège de France, qu'« aucun problème, jamais, ne se laisse enfermer dans un seul cadre.[1] »

Nous savons désormais que les excès dans un sens produisent des effets de balancier dans l'autre. La rationalité poussée jusqu'à l'extrême conduit à une perte de sens et à la recherche d'un nouvel équilibre entre les sciences et les croyances non-scientifiques. Avant la Première Guerre mondiale, le rationalisme cartésien a engendré le mouvement vitaliste, porté par Bergson en France, qui a critiqué vivement le mécanisme scientifique. Comme le note Georges Friedman, « à une période *mystique* de confiance dans les techniques, représentées par l'idéologie scientiste, a succédé une période critique, *réflexive*, où la science se penche sur ses propres applications au travail humain pour les analyser et les juger[2]. »

Ainsi en va-t-il de l'évolution de la science. Elle progresse par essais et erreurs, par aller-retours et par paliers. Elle n'est pas une lente et constante progression vers la vérité, mais une succession d'affirmations, de démonstrations, de controverses et de ruptures de paradigmes. À l'aube de la nouvelle ère, il est plus que jamais vital de garder à l'esprit la fécondité de cette sérendipité et de ce pragmatisme propres à la science.

Il nous faut ainsi porter un regard général sur la société, non pour dessiner un grand programme ou un plan quinquennal, mais pour formuler des pistes de réflexion transversales et à long terme. En la matière, s'il convient

---

1. BRAUDEL Fernand, *Écrits sur l'histoire*, Paris : Flammarion, 1989 [1969], p.29
2. FRIEDMANN Georges, *Problèmes humains du machinisme industriel. Machine et humanisme 2*, éd. revue et augm., Paris : Gallimard, 1968, p.25

d'éviter l'hyperspécialisation et le court-termisme qui grèvent aujourd'hui la recherche scientifique, nous devons aussi nous garder de l'absolutisme dogmatique qui aveugle le militantisme et le monde politique. Il nous faut au contraire favoriser un regard *holistique* combinant la lucidité de la critique au volontarisme de l'entrepreneuriat.

Ce que j'ai essayé de faire dans ce livre, c'est de décentrer notre regard et de dénaturaliser nos représentations, en procédant notamment à un détour historique par l'ère tribale, afin de montrer que la société monarchique et hiérarchisée dans laquelle nous venons de vivre plusieurs millénaires n'est pas une fatalité. La forme de notre société n'est pas inscrite dans nos gènes, elle est une construction. Elle peut donc être déconstruite. Loin d'être prisonniers de notre histoire, nous avons aujourd'hui toutes les cartes en main pour bâtir un autre monde. L'avenir est ouvert. Il faut avoir foi en lui et en nous.

La clé de notre avenir, nous l'avons vue, c'est la *démocratie concertative*. Ce système, pour le résumer à grands traits, est fait d'un emboîtement de petites communautés dont les représentants sont avant tout les serviteurs des représentés. Un tel système fait remonter les décisions de la base au sommet, et non inversement, disséminant les pouvoirs au lieu de les concentrer. Il repose sur des communautés de quinze à vingt personnes décidant de manière collégiale et confiant à un représentant la responsabilité de faire valoir leurs décisions au sein d'un échelon supérieur, composé lui aussi de quinze à vingt personnes décidant de manière collégiale et confiant à un représentant la responsabilité de faire valoir leurs décisions au sein d'un échelon supérieur, et ainsi de suite, depuis la communauté de quartier ou de village jusqu'à la planète entière en passant par l'Europe continentale. Dans un tel système, les représentants ne décident rien et ils ne représentent que le groupe dont ils sont issus.

Cette forme d'organisation doit être au fondement de la réforme de nos institutions, de toutes nos institutions. Même si l'école peut paraître très différente de l'État, et l'État très différent de l'entreprise, il est possible de dupliquer d'une organisation à l'autre un même modèle de gouvernance, comme je l'ai fait au sein de mon entreprise Hervé Thermique et de ma ville de Parthenay, ainsi que l'a bien montré le chercheur en gestion Christophe Assens[1].

Ce modèle, la démocratie concertative, peut permettre à l'entreprise, à l'État et à l'école d'innover tout en générant de la fraternité et de l'égalité. Elle peut permettre à la jeune génération et aux utilisateurs d'Internet de développer pleinement les opportunités de liberté et de création qui s'offrent aujourd'hui à eux tout en développant des communautés horizontales et participatives. Elle peut permettre enfin à l'écologie de constituer le terreau d'une nouvelle harmonie à l'échelle planétaire et dans le long terme.

Si les principes de la démocratie concertative sont valables pour toutes les institutions, ils sont également valables à tous les échelons, du local au global. Je suis convaincu que l'on ne devrait pas gouverner l'Europe différemment du village de cent habitants. À chaque échelon, ce sont les mêmes valeurs de liberté, de fraternité, d'égalité, d'acentralité, d'harmonie et d'holisme qui devraient prévaloir. Ainsi, les mécanismes de participation et de représentation ne s'opposent pas mais se combinent et multiplient leurs effets bénéfiques.

La démocratie concertative appelle ainsi une réforme générale de nos modes d'être ensemble. Il est vain de réformer un aspect de notre vie commune sans toucher aux autres. La jeune génération ne saurait déployer ses talents sans une réforme en profondeur de l'école, de l'État et de l'entreprise ; de la même manière que l'écologie est une cause

---

1. ASSENS Christophe, *Le Management des réseaux : tisser du lien social pour le bien-être économique*, Paris : De Boeck, 2013, pp.120-135.

perdue si l'on ne transforme pas de fonds en comble l'ensemble de nos institutions.

Mais je reste optimiste. Je crois à la puissance des cercles vertueux. Je suis persuadé en ce sens qu'il suffit de faire bouger l'un de ces acteurs pour mettre en branle tous les autres. La jeune génération et Internet ont par exemple déjà commencé à transformer l'école, l'État et l'entreprise. Et cela ne fait que commencer. Plus l'école sera démocratique et moins l'entreprise pourra se permettre de rester aristocratique. Plus les citoyens seront habitués à participer sur Internet et moins l'État pourra se contenter des mécanismes représentatifs qui prévalent aujourd'hui encore.

Tandis que les primitifs valorisaient l'égalité, les modernes favorisent quant à eux la liberté. Nous, les « postmodernes » comme nous appelle mon ami Michel Maffesoli, nous construirons une nouvelle ère faite tout à la fois d'harmonie et de croissance, en développant la fraternité au sein d'une néo-communauté. Non pas une communauté planétaire abstraite chapeautée par une lointaine élite, non pas une communauté fermée sur elle-même et recroquevillée sur son passé, mais une communauté de pairs, vibrante et ouverte sur l'autre tout en étant enracinée dans le local et dans l'histoire, qui décide pour elle-même et délègue à ses représentants plutôt qu'elle ne leur obéit.

Si le monde newtonien concevait l'univers comme un tout clos, hiérarchisé et centralisé, la révolution einsteinienne a ouvert une nouvelle ère, démocratique, concertative, holistique et acentralisée.

Cette nouvelle ère est riche de mille promesses.

Il ne tient qu'à nous de les réaliser.

FIN

Imprimé en France par CPI
en avril 2017

Dépôt légal : septembre 2015
N° d'impression : 141375
ISBN : 9791025201572
Sodis : 754.865.5